# 狼道

梦华　编著

**图书在版编目（CIP）数据**

狼道 / 梦华编著. -- 长春 : 吉林文史出版社,2017.10（2018.1重印）

ISBN 978-7-5472-4532-3

Ⅰ. ①狼… Ⅱ. ①梦… Ⅲ. ①成功心理－通俗读物 Ⅳ. ①B848.4-49

中国版本图书馆CIP数据核字(2017)第225149号

狼道

LANG DAO

出 版 人　孙建军

编　　著　梦　华

责任编辑　于　涉　董　芳

责任校对　薛　雨

封面设计　韩立强

出版发行　吉林文史出版社有限责任公司（长春市人民大街4646号）

www.jlws.com.cn

印　　刷　天津海德伟业印务有限公司

版　　次　2017年10月第1版　2018年1月第2次印刷

开　　本　640mm × 920mm　16开

字　　数　202千

印　　张　16

书　　号　ISBN 978-7-5472-4532-3

定　　价　45.00元

# 前　言

只要一提到狼，人们就会想到它的凶恶、残忍、阴险、狡诈，就会想到“狼子野心”“狼狈为奸”“狼心狗肺”“披着羊皮的狼”等等这样一些负面的印象。事实上，狼有许多不为常人认识的优秀品质，比如坚韧——在对付大群的猎物时，狼群往往会在一个合适的区域连续不眠等上几个昼夜，等待最佳时机，然后一击必杀；比如牺牲精神——狼群为了冲垮马群，不惜牺牲老弱的狼去撕扯外围壮马的肚皮，即使同归于尽也毫不畏惧；比如合作精神——一只狼根本不是一头虎的对手，但四五只狼却足以逼退甚至杀死比它们强大得多的老虎，正所谓“恶虎难斗群狼”。在残酷的竞争环境中，狼族凭借坚韧、顽强、忠诚、合作、牺牲等自然界最优秀的个体素质与最卓越的团队精神，成为最有生命力和竞争力的种群，成为个性张扬的强者。它们与恶劣的自然环境战斗，与身强力壮的狮、虎战斗，与荷枪实弹的人类战斗，在自然界的竞争中狼始终牢牢占据着食物链金字塔的顶端，始终牢牢占据着强者的地位，从而雄行于天下。

在人类历史当中，有不少游牧民族在与狼的长期斗争中学习了狼的不少智慧，最著名的莫过于一代天骄成吉思汗领导下的蒙古民族，他们采用狼的战术，几乎称霸了整个世界！

过长时间的安逸生活使得现代人渐渐丧失了血液中存在的近似狼的野性与智慧的东西，所以最近几年很多人开始呼吁人类重新向狼学习，以增强在生活、工作中的竞争力。

军队需要狼性，坚韧的性格、顽强的耐力、勇猛的作风、严格的纪律都是我们现代化部队不可缺少的特点。世界上但凡著名的军队都被冠上了“虎狼之师”的称号。

企业竞争也需要狼性，把握机会的能力、应变的技巧、敏锐的眼光，这些都是一个成功的企业家所必需的特质。

生活当中也需要狼性，有目标、有野心、肯吃苦、重忠义，这些都是成功人士所需要拥有的优秀品质。

要想成功，我们不但要学习狼的品性，更要学习狼的智慧。从狼的身上，我们能找到个人在世界上生存、发展所需要的各种素质，比如坚韧、顽强、耐心、战斗、牺牲等等。通过对狼群的了解，我们能学到团队竞争所需要的全部智慧，比如合作、分工、策略、沟通、危机意识、消化能力，等等。在竞争中，一个人如果拥有这些智慧，则他强大的力量足以令任何对手恐惧；一个团队如果具有了这种精神，那它将无往而不胜，开创出属于自己的辉煌事业。

让我们感谢狼，在这样一个竞争激烈淘汰残酷的社会，是它给了我们一个学习的机会，也从而使我们多了一份发展与成功的可能。

# 目录

## 第4章　把握机遇　成败关键



## 第5章　以智取胜　代价最小



## 第6章　风骨赫然　英雄本色



## 第7章　忧患常存　转危为安

# 第1章

# 理想和野心是迈向成功的第一步

动物界中捕食目标最大的是号称兽中之王的老虎吗？不是。是体重超过300公斤的熊吗？也不是。即使是狮子、老虎、猎豹这样凶猛的野兽在捕食的时候，一般也只不过是挑那些老弱病残或落单的猎物下手，一只经验丰富的成年老虎捕食麋鹿的成功率只有不到20%，而且狮虎的捕食目标多数体型都小于自己，它们依靠自己的强壮捕杀猎物。人们发现，捕食目标最大的动物，竟然是体重只有三四十公斤的狼。

“狼子野心”这个成语在大多数时候含有贬义，但是从另一个层面上却反映出狼的捕食目标在动物当中首屈一指。

单个的狼往往敢于袭击体型大于自己数倍的马、牛等动物，成群活动的狼，“野心”就更大，一群40只左右的狼有时候竟然可以围杀数百只黄羊！捕食目标之大在动物界中叹为观止！

人类也是一样，每个人都渴望成功，但是成功的前提就是你要有成功的欲望，要有成功的“野心”，也就是要有远大的目标。只有有了这种“野心”，才可能成就不凡的事业。

## 天生野心家

志不立，则天下无可为之事。

——王阳明

由于将生存当作第一职业，狼的一生就是把不断地寻找新的猎物作为目标。正是这种“狼子野心”促使狼群不断地猎取大量食物，从而雄踞食物链的顶层。在狼看来，拥有野心、实践野心，与其说是出于自身生存与族群繁衍的需要，毋宁说是对于自我生命价值的高度认可。狼的血液里，奔涌着的是狂乱的野性；狼的胸腔里，搏动的是一颗不安分的心。狼是地地道道的、天生的野心家。人生存的过程其实和狼一样，也是完成一个又一个人生目标的过程。野心在人的一生当中是必要的，是成就梦想的第一步，没有一点野心的人，只会是个一无所成的可怜虫，只会在越来越激烈的竞争中被淘汰。

立志、工作、成就是人类活动的三大要素，立志是事业的大门，工作是登堂入室的旅程，这旅程的尽头就有个成功在等待着，来庆祝你的努力结果。

三国名相诸葛亮年轻的时候只是一个普通的书生，“躬耕于南阳”，他的叔叔在襄阳做官，几次邀请诸葛亮去为他效力，可是诸葛亮都拒绝了。

他的朋友们很不理解，读书不就是为了做一番事业吗？为什么这么好的机会却白白浪费？诸葛亮笑着说：“我要做的是像古代的管仲、乐毅一样的大事，又怎么能屈居在小小襄阳做一个刀笔小吏呢？”

朋友们都认为他野心太大，诸葛亮只是一笑置之。后来，刘备听说了诸葛亮的才能，特意“三顾茅庐”把诸葛亮请下了山。在诸葛亮的帮助下，刘备从一个四处逃窜的“流浪军”首领，变成了“三分天下有其一”的蜀国皇帝。由此，诸葛亮也证明了自己的“野心”不是什么“痴心妄想”。

随着人类生产力的发展，物质生活水平的整体提高，社会生存的竞争也越来越激烈。要想在竞争激烈的社会上站稳脚跟，没有一点野心是行不通的。志当存高远，人的志向与成就从来是密切相关的。如果没有远大的志向，就不可能成就大业。一般来说，一个努力向上的人，对自己的要求高，取得的成就就大；而自己的要求低，取得的成就则小，甚至一事无成。一个人即使身居陋室，饔飧不继，但只要有远大的理想，崇高的抱负，并能奋然前行，就会干出一番经天纬地的事业。

野心是迈向成功的第一步，现在很多人崇尚"知足常乐"的人生态度。固然，知足常乐可以作为一种生活态度，可以让人过得更轻松，但是却绝对不可以当作人生信条。我们生活在这个世界上，就必须不断地奋斗，不断地向另外一个目标前进。没有野心的人是可悲的，不管他多么有才华，没有了进取的信念，就只能成为一个庸庸碌碌的人。

明宇和叶子考进了同一所全国著名的学校，在校学习期间，两个人都十分努力，成绩优秀。大学生就业越来越困难，幸运的是毕业的时候，一家国际知名的大企业到学校来招聘，两个人都顺利地过关斩将，成功地获得了仅有的两个待遇优厚的职位。

因为是校友，又到了同一个公司，两人自然就成了好朋友。

在别人眼里他们是幸运的，从一个普通学生一下子就跨入了白领阶层。叶子也是这样想，她对自己的工作十分满意，认为自己以前所有的努力终于有了回报。所以，她只是小心翼翼地在工作上努力做到不出一点差错，生怕丢了饭碗。

可是明宇则不然，到公司以后，他的工作也很出色，颇受上司赏识。但是明宇觉得这家公司不大适合自己发展，于是积累了一段时间经验以后，毅然决定辞去待遇丰厚的职业，打算自己下海打拼，临行前，明宇和叶子打了个招呼。

"什么？你疯啦！好好地工作不做，辞职了没收入怎么办？做生意破产了怎么办？”叶子显然不理解明宇的想法。

“工作了一段时间，我觉得应该出去闯一闯了，‘王侯将相，宁有种乎！’我也可以做一番大事业，也可以自己当老板！”明宇充满信心地说。

“做人稳当就可以了，不要有那么大野心，而且我们现在的工资待遇已经很高了，别人想找还找不到呢！”叶子善意地劝说明宇。

“叶子，现在竞争激烈，我们不能安于现状，人不能没有野心。你也一样，别老安于目前的状态，我看这家公司还是很适合你发展的，但你也要有个奋斗目标才行。”明宇反过来劝说叶子。

最后，明宇还是离开了公司自己闯荡去了，叶子依旧兢兢业业地保护着她那份“稳定的工作”。

两年后因为政策的调整，叶子所在的公司进行了一次大的人员调整，叶子虽然工作上没出过什么错，可是因为太“不进取”，被公司列在了裁员名单里，只好重新找工作。而此时，明宇已经是一家公司的总裁了。

野心，简单点说或者语气缓和一点来说就是进取的欲望，一个没有梦想的人是可悲的，而野心是成就梦想的第一步。

上面的例子当中，明宇因为觉得公司不适合自己的发展而毅然离开公司，寻找真正属于自己的理想，“野心勃勃”地去开创一番事业。固然，这里面有失败的可能、有丧失稳定工作的风险，但却是迈向自己成功的第一步，使成功的可能变为现实。也如明宇所说，叶子其实也可以有一个好的前途的。她有坚实的知识基础和工作经验，但是为什么最后却落得个被裁员的结局？这不是运气的问题，也不是公正不公正的问题，关键就在于她没有想成功，没有想做大事业的野心。

现在的企业需要稳妥踏实的员工，但是更需要有活力、有创意、有进取心的员工！一个没有丝毫野心的人在工作当中必然是死气沉沉的，一群没有野心的员工组成的企业也将是一个死气沉沉的企业。试问哪个管理者希望自己的企业成为一个丝毫没有活力、没有激情的牢笼？

在松下集团的菲律宾分公司，有一位主管以脾气暴躁著称，但是他手下的业绩却一直是一流的，原因就在于，他在招聘新员工或者激励下属的时候总是说："很多主管只希望自己的下属做好本职工作就可以了，我不这样要求你们，我甚至什么也不要求你们，但是如果你们不思进取，那么明天这里就没有你的位置；如果你有野心，有能力，那么我现在坐的这个位置就是你的，甚至我给你们当下属都可以！"

拿破仑是法国近代史上著名的军事家和政治家，1769 年出生于科西嘉岛阿雅克肖城的一个破落贵族家庭。

在那个年代，贵族子弟一般都过着奢靡的生活，整天花天酒地。但是拿破仑并没有被眼前的安逸所牵绊，他有他自己的想法和野心。

1779 年，拿破仑到法国布里埃纳军校学习军事。1784 年，升入巴黎军官学校，毕业后被任命为瓦朗斯炮兵团少尉军官，时年仅 16 岁。

1789 年，法国爆发了资产阶级革命，拿破仑同情革命，一时成为雅各宾派的拥护者。由于受到当地亲英反法的保守集团的排挤，被迫举家迁至法国本土。一连串的打击并没有消磨他的斗志，反而令他的野心越来越膨胀。

1793 年 7 月，拿破仑带兵一举攻下了保王党的堡垒土伦，得到雅各宾派首领奥古斯都·罗伯斯庇尔的赏识，1794 年 1 月 14 日，被任命为少将、炮兵旅长。"热月政变"发生后，雅各宾派共有 103 人遇害，拿破仑亦受牵连，于 8 月 5 日被捕。启经审讯，无罪释放，但被免去少将、炮兵旅长职衔。拿破仑一时困居巴黎。

后来，巴黎发生保王党人的武装叛乱。督政官巴拉斯请来拿破仑帮助平息叛乱。拿破仑用大炮一举击垮了叛乱者，挽救了危局。督政府晋升拿破仑为陆军中将、巴黎卫戍司令。一夜之间，穷困潦倒的拿破仑成为军界和政界无人不晓的大人物。

1796 年 3 月 2 日，年仅 26 岁的拿破仑被任命为法国意大利军司令官，从此开始了独立作战的生涯。崛起的拿破仑使督政府感到了威胁，督政府的官员们决定把他调到远离巴黎的地方去。拿破仑被任命为法国埃及军（东方军）司令官，拿破仑挥师东下，远征埃及。他希望借助新的胜利来实现自己的理想。

1799 年 8 月 22 日，国内局势急转直下，人民怨声载道，拿破仑认为时机已到，立即率亲信离开埃及，返回巴黎。拿破仑发动“雾月政变”成功，成为第一执政。

1804 年 5 月 18 日，拿破仑黄袍加身，宣告自己为法兰西第一帝国的皇帝，称号为“拿破仑一世”。

已经成了皇帝的拿破仑并没有满足，他指挥着法兰西大军横扫欧洲大陆，无人能挡。拿破仑的一生可以说是不断地产生野心与实现野心的一生。

不但如此，他还鼓励他的部下要有野心，在军官的编制方面，他一改以前平民不可以当军官的规定，号召每一个士兵都要有当将军的野心：“不想当将军的士兵，不是好士兵。”这一口号极大地鼓舞了士兵和平民的士气，拿破仑手下无数优秀的将官都是从普通士兵提拔起来的。

“不想当将军的士兵，不是好士兵。”拿破仑一句看似简单的话成了千古名言；陈胜还是个奴隶的时候就曾有过“王侯将相，宁有种乎”的壮语豪言；项羽小时候跟随叔叔看见秦始皇的车驾，说“大丈夫在世，理应如此！”最后他们都成功了，都在历史上留下了辉煌的一页，不仅仅是他们，历史上哪一个著名人物不是“野心勃勃”？

野心，是进取的动力；野心，是热忱的导火索；野心，是迈向成功的第一步。

### ◆　狼的自述

没有捕捉不到的猎物，就看你有没有野心去捕；没有完成不了的事情，就看你有没有野心去做。

## 紧盯成群的羊

当一个人知道自己的目标去向时，这个世界就会为他让路。

——爱默生

在狼的世界里，从来就没有“懒散”这个词，即使是在睡眠的过程中，狼的精神也处于一种兴奋的状态。在自然界，即使是在饥饿、寒冷的状态当中，每一只狼都充满着生命的活力。为什么会这样呢？原因是狼生存的全部价值就在于一个目标——追逐食物，紧盯那成群的羊并追而逐之，直至将其聚而歼之。

早上醒来，睁开蒙眬的双眼，有些人马上就能进入到一种兴奋的状态当中，忙学习、忙工作、忙事业，一副朝气蓬勃的样子。而另外一些人则昏昏沉沉，无所事事，像斗败了的公鸡，打不起一点精神，甚至抱怨人生无趣。为什么在相同的条件下，不同的人会有如此的差别？原因就在于充满活力的人都知道自己的目标是什么，自己该做什么，这样就会发现生活中的一切都脉络清楚，在生活、学习和工作当中也就没有丝毫的犹豫和迟疑；而另外一些人懒散的原因却往往是没有明确的人生目标，这样做任何事情都会觉得索然无味，当然就打不起精神来了。

今年已90多岁高龄的裘法祖院士，是我国器官移植外科的主要创始人，被世界医学界誉为新中国外科医学的泰斗。裘老一生都忙碌在手术台前，87岁高龄时，尚在亲自为病人开刀治病。现在，他每天依旧清晨6时起床看书学习，一直工作到次日凌晨才上床就寝。裘院士说："明确的人生目标，是我一辈子勤奋不怠的动力。"

裘法祖院士年幼时家境贫寒，全靠母亲勤俭操持，才勉强维持全家9口人的生活。他回忆说："我从小学习就特别用心，初中、高中毕业时成绩在全校学生中名列前茅。新中国成立前的旧中国积弱不堪，医疗水平更是非常落后，我常常看到或听说周围熟悉的街坊和一些居民因无钱看病而忍受疾病折磨，并在痛苦中死去。读初中时我便想：如果我会治病，我就能挽救他们的生命了。那时我便立志学医，想通过我的努力让更多无钱看病的穷人得到医治。"

在"立志学医，挽救生命"这一目标的驱动下，18岁时，裘法祖如愿考入上海同济大学医学预科，进入大学后他感到视野开阔了很多。"其实年轻人哪有不爱玩的，我读大学时也喜欢娱乐活动，可为了实现小时候的理想，我逼着自己沉下心来学习。小时候亲眼看见亲人受伤后得不到治疗的痛苦样子，给了我很深的印象，因此我对外科特别用功。后来渐感课本上的和老师讲的内容已不能满足我对医学知识的渴求，便常到图书馆翻看各种医学书籍，时间长了，有的同学就给我起了个外号，叫'图书馆长'。"

同济大学医学预科毕业后，家人凑钱让他到德国进修。二战开始后他马上带夫人回到了中国，几乎每天都要进行一两场手术。正是因为治病救人的崇高目标，使得裘老夜以继日地为祖国的医疗事业工作着。

新中国成立后，有了更好的学习和研究场所，看到国内外科水平比国外差许多，裘老就不服气。20世纪50年代开始就和同事们一起没日没夜地在实验室里研究，最后终于在器官移植外科学上获得了巨大的成就。

90多岁的裘老，每天还在学习，历史、传记、医书……有什么看什么。裘老在鼓励年轻人的时候说："勤奋贵在坚持，希望青年学生能为自己定一个明确的奋斗目标，只有不断自觉自省，才能给自己提供源源不断的拼搏动力。"

我们经常会讨论关于"人是为什么而活着"的问题，不同的人往往有不同的答案，但是总结起来，答案只有一个，就是：人是为了一个个大大小小的目标而活着。

目标是人生动力存在的唯一源泉。如果没有了目标，人生也就没有了任何意义。

小宋和小林是同乡，也是大学同学，小宋人长得漂亮，学习也很好，大家都很喜欢她，而小林则总是默默无闻。毕业以后，小宋如愿留在了学校任教，一年以后，成了家，由一个优秀的大学生变成了一个标准的贤妻良母。而小林则被分配到了偏远乡村的一家小工厂。

令人惊讶的是，五年以后，小宋依然还是一个普通的高校教师，而小林则考了托福，拿到了美国签证，出国留学去了。又过了两年，小宋的情况依然没有太大的改变，小林则回国在一家外企做了主管。

为什么两个人的命运做了如此大的转换呢？原来一切条件都很优秀的小宋成了一个平庸的人，而看起来毫不起眼的小林却成就了不平凡的人生，原因就在于小宋毕业以后一直没有一个明确的人生目标，浑浑噩噩地过日子，结果空有良好的自身条件和丰富的知识，仍然沦落为一个平庸的人。而小林则因为人生目标明确，也就有了奋斗的动力与勇气，终于为自己创造出了多彩的人生。

有的人就像一艘在大海中失去方向的船，漫无边际地生活着，不知道未来在哪里，只是在原地打转，残忍又无奈地挥霍着生命。无聊、空虚的情绪长期占据心灵，没有自己可以倾注热情的事情，没有丰收的喜悦，使得生命暗淡无光，越活越无聊。究其原因，就是缺乏奋斗的目标，人生没有动力，没有方向，老是被外界环境及压力牵着鼻子走，一切都盲目不定，听天由命。

一张纸放在太阳底下不会燃烧，但用聚焦镜把阳光聚在一个点上，纸就会燃烧。人一旦有了目标，生命就开始聚焦，才会在生活中发现新的契机，一步步向理想迈进。

爱默生说过："当一个人知道自己的目标去向时，这个世界就会为他让路。"强烈的目标意识，使你超脱纷繁复杂的俗事，产生无穷无尽的力量，积极地采取行动，主动进攻生活中的困难，主动发现机会，练就独特的智慧。对自己的目标进行时间上的有效积累，就会逐步实现自己的目标。

法国一家心理研究机构显示，有明确目标的人或对目标有渴求的人比那些没有目标的人或者对人生目标模糊的人更容易取得成功。而他们本来的能力所起的作用反而显得不是特别重要。

这也就是为什么很多在初中、高中看起来资质和学习成绩都很一般的孩子，在短短的几个月的时间内成绩突飞猛进，最后考入清华、北大等著名学校的重要原因之一。

明确的人生目标所带来的动力不仅仅包括催人奋进、勇敢向前的驱动力，也包括抵制诱惑、少走弯路的自制力。

明确了一生朝哪个方向走，决心成为一个什么样的人，就能够控制自己，使言行服从和服务于自己的人生目标，而排斥同目标相对立的各种诱惑；反之，连人生目标是什么都不知道，那么，在诱惑面前，就不会有坚强的自制力。自制力的动力源泉之一，就是从根本利益和长远利益上去考虑问题。

大学毕业以后，别的同学都风风火火地四处找工作，但是乐乐的爸爸因为心疼女儿十几年学习太辛苦，想让乐乐好好放松一下。

于是，乐乐就到全国各地去旅游，又在家里玩了半年。一开始乐乐还挺在意找工作的事情，但是玩习惯了，渐渐地就淡化了，暂时没有了目标的乐乐更是沉迷于懒散的生活。成天不是唱歌、看电影，就是上网聊天，完全不把找工作当回事。

直到春节同学聚会的时候她才发现，原来朋友们都已经在自己的工作岗位上做出了不凡的成绩，而自己却白白地浪费了一年多时间。警醒之下，乐乐重新确立了人生目标，开始认真找工作。乐乐发现，原来自己特别迷恋的，比如上网什么的，都显得微不足道了。很快乐乐就找到了一份合适的工作，开始了属于自己的精彩人生。

有些诱惑之所以具有诱惑力，就是因为它能充分展示表面的、暂时的利益。一个意志顽强的人，应当不为这种表面的、暂时的利益所诱惑，而应该经常牢记自己的根本利益和长远目标。这样，就会获得一种控制自己的动力——自制力。

美国斯坦福大学做了一项调查——关于目标与人生绩效的关系。通过对一群普通人进行了 25 年的追踪，发现没有目标的人处于社会的最底层；目标模糊的人成为蓝领；目标明确的人成为白领，属于专业人士；目标远大且把目标写在纸上，不达目的决不罢休的人，最后成为社会的顶尖人士、各行各业的领袖。调查显示：目标对于人生的积极影响极其重要。有了目标，就有了努力的依据，就有了人生的动力。

朋友，为了更好地体现生命的价值，无怨无悔地过好一生，请为自己树立一个目标，并向目标挺进吧，这样你就会获得一个成功的人生。

### ◆ 狼的自述

没有猎物我们就去寻找猎物，发现猎物我们就去追逐猎物。寻找、发现、追求、获得——这就是狼的生活要素。

## 狼没有“妄想症”

人的一生不能没有理想，可惜我们却总把它和妄想混淆。

——高瞻

如果说狼群在无数的交锋当中，也有其无法战胜的对手的话，那就是人类了。在人类不曾涉足的地域，狼群无疑是自然界的王者，但是在与人类的交锋过程中，充满野心的狼往往是退却的一方。因为它们知道，野心不是妄想，实力相差悬殊的时候，当竞争的法则不再公平的时候，退却是保存实力的最好方法，是另一种生命的智慧。

很多人错误地以为，野心是无限膨胀的，是脱离现实的，在野心和妄想之间毫不犹豫地画上了等号。这是一种极端错误的想法，野心绝对不是什么妄想，野心是热忱、自信与理想的结合体。妄想是不切实际的，与行动脱节的，是不可能实现的，而野心却是可以变成现实的。野心往往是靠能力支撑的，而妄想则缺乏这一点。

有野心、有理想的人，他们的“野心”是建立在现实基础上的，所以，他们往往勇于承认自己的错误和不足，正视缺点，并且不断地弥补自己的缺点来取得最后的成功，实现自己的野心。而妄想的人则完全以自我为中心，完全不理会客观的因素，他们从来不考虑自己有犯错误的可能。“妄想”不接受事实和理性的纠正，可说是不可动摇和不可纠正的。

一所著名大学里有一位博士生，经过研究，宣布自己发明了一种新的石油提炼方法。学校的导师们经过论证，认为虽然他的方法有一定的创新意识和参考价值，但是却因为存在某些致命的缺陷而无法在现实中应用。该学生认为老师们嫉妒他的才华，不断地找来各种材料“证明”自己理论的可行性，并且不断地向学校申诉。

学校也很重视这件事情，从全国各地请来了专家对该学生提出的方法进行论证。专家们详细地研究了以后，认为对于一个普通学生而言，该生的思路清晰，知识广博，基础扎实，提出的想法也很有创造性，但是要想在现实中应用还有不可逾越的鸿沟，并且提出了一些意见和建议。

但是这个博士生非但对专家们提出的意见不屑一顾，而且更加固执地认为自己的想法是可行的。认为专家们是“打压新生人才”。学校领导多次劝说都没有任何效果，最后该博士固执到心理上也出了问题，被送进了精神病院进行休养治疗。

很显然，这个学生是被自己极度膨胀的妄想心理给害了。其实，老师和专家们对他的成绩还都是肯定和赞扬的，如果他真的能听取别人的意见，继续研究，说不准真的可以在石油提炼领域干出一番大事业来。但是妄想心理却使他完全失去了判断能力，最后把自己推进了泥潭。

如果说，野心是爬山，是用尽一切办法去到达山顶的话，那么妄想就是撞墙，丝毫不理会周围的状况，最后只能撞得头破血流。

也许有人会问，历史上有不少人首次提出某种学说或理论时遭到其他人的反对，但历史最终做出了公正的裁判，个别人的观点是正确的，难道在当时可以说个别人的观点是妄想吗？

确实，有些学说、理论或者艺术作品在一段时间内可能无人欣赏，但是这和妄想是完全不同的两个概念，它们只是不为人所理解，但是仍然是基于现实基础上的，它们的提出者或创作者也是谦虚而务实的，比如哥白尼的日心说、爱因斯坦的相对论，等等。

野心是一种向前的意识，而妄想则是一种错误的个人信念。野心是一种积极的心理，妄想则是一种病态的心理。

实际上，妄想的核心判断总是包含着“我”。例如，“我伟大”“我有罪”“我的配偶与某人有暧昧关系”“人们在迫害我”“人们咳嗽吐痰都是针对着我”“某人钟情于我”，等等，是一种封闭的状态。而野心虽然也强调个体，但却是一种开放的心态，比如：“我要达到某人那种程度”“我可以做得更好”，等等。

在英文里，本来没有Google这个词，但是Google这个不是单词的“单词”却成为目前世界上使用最广泛的搜索词汇。

风靡全球的国际互联网搜索引擎Google与网上众多有名的信息搜索服务商相比，Google（中国人爱称它为“谷歌”）虽然“年纪轻轻”，但成长速度却异常惊人，早就成为业界名副其实的“小巨人”。

很难想象，Google这个巨大的网络帝国最开始的创始人只是两个学生。1995年，美国斯坦福大学计算机学系两名博士生，年仅25岁的拉里·佩奇和比他小一岁的同窗学友谢尔盖·布林在做一项课题实验时开发出了一个名为Back Rub的软件，但一年后的一天他们惊异地发现，本来只有一两个导师知道的Back Rub，竟然每天被上万个人在使用。发现了这一点，他们开始有了野心，那就是“给全世界的信息分组”，仅仅从字面上来看，这在当时确实是不切实际的，但是佩奇和布林靠着自己不懈的努力把野心变成了现实。

一开始在经过一番技术修改后，佩奇和布林决定将 Back Rub 卖给 Yahoo 或 Infoseek 那样规模庞大的搜索引擎网站。尽管经过了多方奔走联系，但是已经成为网络业巨头的 Yahoo 和 Infoseek 丝毫没有把这两个年轻人的成果放在眼里，并嘲笑其为“幼稚的小孩子玩意”。Yahoo 和 Infoseek 的决策层却万万没有想到，就是这种“幼稚的小孩子玩意”却在短短的 5 年时间超越了他们，成为他们最可怕的竞争对手！一次次冷漠的回绝，促使佩奇和布林打定主意自己创业。他们又开始四处奔走寻找支持者，最终，有一天早晨当他们将自己的软件向 Sun 微系统公司一名创始人进行介绍时，对方打断了他们的话，给他们开出了一张 10 万美元的支票作为投资。

兴奋不已的佩奇和布林开始紧锣密鼓地张罗起自己的公司，并在匆忙之间杜撰了一个词汇——Google 作为新公司的名字。几个星期后，在一个朋友的车库里，Google 终于诞生了。创业之初，这个志向不凡的公司仅有 3 个人，除了两个“合伙人”佩奇和布林外，只有一个雇员——克雷格·希尔维斯通。佩奇和布林精心挑选的这名唯一参与创业的员工，而今已成为了 Google 的技术总监。

今天，包括雅虎、美国有线新闻网、网景、网易在内的全球上百家大型新闻、商业甚至政府网站都在使用 Google 提供的搜索技术。据权威的互联网市场调查公司宣布，自 2005 年 4 月份起，Google 已经坐上了互联网搜索引擎的头把交椅。毫无疑问，5 年前由美国斯坦福大学两名博士生创办的 Google 公司，是 IT 业内继比尔·盖茨的“微软帝国”之后，爆出的又一神话。

“Google 是一位神灵吗？”著名专栏作家托马斯·弗雷德曼为《纽约时报》撰文时，幽默地提出了这样一个问题。在弗雷德曼看来，Google 就像神一样，“能看到和知道一切”，所以当人们在互联网上查找资料时，它才能带着你遨游万里去找到你想要的东西。技术统计显示，Google 目前每天要接受 2 亿多个搜索请求，平均在每 0.2 秒钟内扫描 30 亿个网页。Google 能够对 36 种不同的语言进行搜索，甚至包括故意颠倒英语字母顺序拼凑而成的行话。除了网页之外，Google 现在还能查询图片、新闻、地图、电话号码、股票价格、统计数字、词汇定义，以及小到一台缝纫机的商品的最优价格等信息。

佩奇和布林当时如果只是拿着自己刚刚研究出来的成果，就单纯想要“为全世界的信息分组”的话，那显然是一个不切实际的“妄想”。

但是佩奇和布林并没有停留在不切实际的“妄想”上，他们只是把设计程序当作一个起点，把“为全世界的信息分组”当作最后的“野心”，不断地完善，不断地寻找机会，不断地争取各种支持，最终成了搜索引擎网站的龙头老大。

其实，所谓的妄想和野心也就隔着一层薄纸，只要我们能够走出以自我为中心的精神藩篱，把不切实际的妄想变成追逐成功的野心，那么成功也就在眼前了。

### ◆ 狼的自述

尽管面对上万只的黄羊，面对凶猛的老虎，我们都能毫不退缩，但是面对人类的枪口，适当的转移是明智的。我们不缺乏成功的信念，但是我们绝不是痴心妄想只会送死的傻瓜。

## 狼只制订最可行的计划

做人有计划，人生有方向。

——培根

老虎、狮子、狼三种动物，都可以说是草原上呼风唤雨的王者，那么在它们当中，谁是最聪明的呢？动物学家给了我们明确的答案：老虎胜于力，在捕食的时候，老虎靠的是压倒性的速度和体质，直接追逐猎物，直到把猎物咬死；狮子胜于智，狮子十分善于隐藏自己，它在捕猎的时候，往往是藏在草丛或者小山后面，等猎物靠近再以雷霆万钧的气势在几秒内就偷袭成功；而狼则胜于谋，狼群进行一次捕猎往往要计划很长时间，每只狼都有明确的分工，然后按照计划有条不紊地把整个猎物群赶到预定地点，集中歼灭。可以说，三种动物都有其成功的生存方式，但最聪明的，无疑是狼。

野心与梦想如果失去了行动的支撑，就好像失去了翅膀的小鸟，再也无法展翅高飞，而计划则是规划行动的最好方式。

一个人的理想不得不远大，一个没有远大理想的人是不可能有辉煌的未来的；但是行动却不得不回归现实，一个只想着唯一远大理想的人往往也成就不了大事业。如何来调节两者之间的关系呢？答案就是：要有一个详细的、切实可行的计划。

就好像我们吃饭，要想吃饱，我们必须要吃下一碗甚至更多的饭，但是我们却绝对不能因为想吃饱这个目的就一口把所有的饭全都吃下，而必须要一口一口地细嚼慢咽。“一口吃不成一个胖子”这种简单的道理每个人都明白，但是在实现理想、完成人生目标的时候，很多人却忘记了这个简单的道理。

远大的理想必然带着巨大的压力，如果你一次性地把这个大山背到自己的身上，那么即使你是一个大力士、一个巨人，往往也承受不了如此巨大的压力。

计划是实现理想的一种方式，它就好像我们一口一口吃饭一样，把理想分成若干个小的阶段，让每一阶段都变得切实可行。理想太远大，就分段来实现它，这就是计划的真谛。

很多人在创业或者求学伊始，就为自己设立了远大的理想，但是到具体实施、努力的时候，却不知道该怎么做，有种毫无头绪的感觉。那么我们就应该静下心来，为自己的理想制订一份详细的、切实可行的计划。

小敏是一所普通大学的本科生，她最大的愿望就是拥有一家实力不凡的公司，然后继续深造，在商海中搏杀。但是，学习机械专业的她从来就没有接触到和这个理想有关的任何东西，也不知道该如何开始实现自己的理想。

一次，学校举办了一次成功学的演讲，演讲的是一位著名的企业家。演讲结束以后，小敏把自己的困惑对企业家说了。企业家微笑着说："成大事业，也要从小事情上一步一步走，罗马不是一天就建设成功的。有这样的理想当然是一件好事情，但是我们要立足现实，既然理想太过遥远，那么我们就先制订一份实现理想的计划书，把远大的理想分成若干个小的阶段来实现，这样就不会感到无所适从了。"小敏回来以后，给自己制订了一份详细的人生计划，又根据自己的实际情况反复修改，终于觉得差不多满意了。计划大致内容如下：

从基层做起，虚心向前辈们求教，不以大学生自居，要和周围的人融为一体！以积极的心态做事，以老板的心态看待公司的事，把公司的事情当成是自己的事来办！树立学习的心态，买台电脑，利用闲暇时间多学些东西，如：英语、办公软件等；有必要的话，进修一些课程！

人生规划时间表：23 岁毕业；24 岁，找到自己的兴趣所在；26 岁，从基层做起，虚心吸取前辈们的经验，提高自己的能力；28 岁，争取能在公司占据重要位置（做到总监或部门经理）；30 岁，自己能独当一面（最好能有自己的公司）；35 岁，继续进修或深造，比如：考个外国的含金量高的 MBA，或继续在国内读个硕士等。

小敏还在每个大阶段前面又写了若干备注，写完计划以后，又联系到了那位给她提示的企业家。企业家对小敏的计划很满意，也提出了一些建议。

小敏毕业以后一直按照自己的人生计划在一步一步朝自己的梦想努力，到现在她 26 岁，已经是一家外企的部门副主管了。

上面就是一段相当成功的人生计划的例子，从上面可以看出，一份完善的人生计划需要注意以下几个方面。

第一，把一个长远的目标分成若干阶段。这就好像我们盖房子一样，首先要架起龙骨，然后才能进行具体的建设。我们在爬山的时候，山顶是我们的最终目标，但是我们如果爬几步就往山顶上看一眼的话，那么缥缈的顶峰很容易让人沮丧，很快就会发现自己全身没有力气了。

日本有一位著名的长跑运动员，在他的运动生涯当中，得到过多次冠军。但是从外表上看，他却一点也不像个出色的运动员——个子不高，也没有其他运动员那样修长的腿。

人们都很奇怪，为什么他可以取得如此好的成绩，而其他身体条件比他好得多的运动员反而不能呢？这位运动员笑着回答：

“我一开始练长跑的时候，别说拿冠军，就连跑完全程都很困难，一般情况下都是跑到半路上就退场了。为此我也沮丧了好长一段时间，后来发现我在公路上锻炼的时候往往跑得要好很多，不但可以顺利跑完平常比赛的距离，而且成绩也快很多。

一开始我觉得奇怪，把原因归咎到我比赛的时候太过紧张上，后来经过研究才发现了真正的原因。

在正式比赛的时候，从冲出起跑线开始，我脑子里想的一直就是终点，跑了几圈以后，一想自己离终点还有那么远，就觉得全身没力气，结果跑出去没多久就只好退场了。而在大街上跑，没有终点的压迫感，往往无意识中选择一个近处的参照物当作暂时的目标，这样跑起来就不会觉得压力太大，身体消耗也减轻了许多。

从中我吸取了教训，在后来的比赛当中，我一般都选择一个离我比较近的参照物，比如栏杆、建筑物都可以，然后用百米冲刺的速度跑过去，之后再选择下一个。这样即使是身体在极度劳累的情况下，看到那么短的距离，仍然可以鼓足勇气冲过去。”

人的野心和理想也同爬山和长跑一样，“志当存高远”，我们的理想应该远大，但是这种远大千万不要成为我们成长的包袱。把远大的理想分成若干部分来一步一步实现是最好的办法。

研究显示，不管心理素质多强的人，都需要保持一点成就感来激发自己的斗志。理想太远大了，我们往往就会忽略平常的一些小的成就。但是，如果把理想分成若干部分，就相当于从另一方面把平常的小成绩放大了。拿考试来说，某一次只考了个及格，如果把100分当作最终目标，即使下次考了69分，那也不会有什么成就感，但是如果把目标定在70分，那么就会觉得自己确实有进步了。别的事情也是如此，别小看这些小小的鼓励和欣喜，它们对调节人的情绪却有很大作用。

第二，所制订的人生计划必须具有可行性。前面一节我们阐述了野心与妄想的区别，野心是可行的，妄想是不可能实现的。所以我们在制订计划的时候也要注意计划的可行性。

很多朋友在制订计划的时候都很想把计划做得完美，实际上这种计划往往没有丝毫价值。我的一个朋友制订了一份周计划，上面逻辑严密，层次清楚，每一段时间、每一步看起来都是积极而合理的。但是仔细一想，完全不是那么回事。

他严格规定了自己的睡眠时间，除了睡觉以外，每分钟都安排得满满的，我笑着问他：“如果某一天你肚子坏了，岂不是连上厕所的时间都没有了？”上趟厕所就可以把整个计划打乱，这样的计划不制订也罢。

做人生计划必须要在实际当中行得通，所以在制订计划的时候，一定要在各方面留有一定的缓冲余地。人不是机器，而且将来的事情往往不会按照个人的意志发展。

第三，计划做好以后，最好能请专家或者经验丰富的人指点一二。因为计划的事情往往是我们没有经历过的。而且一个人拟订的计划往往带有过多的个人因素，而请经验丰富的人看一看，提出一些指导意见，可以使计划更成熟，施行起来更顺利。

但是要注意的一点是，不能照抄别人的经验，每个人都有自己的明天，跟着别人亦步亦趋，那样只会踩着前辈的脚步走，永远不会走出自己的路。

做人有了计划，人生就有了方向。计划好了以后，就该是我们勇敢行动，去实现计划的时候了！

### ◆　狼的自述

追逐猎物仅仅靠猛跑是不够的，尤其在对付大群猎物的时候，必要的准备和步骤是获得成功的基础，而谋划是实现这一切的唯一保障。

## 用最简单的方式直抵羊群

理想可以让你花最短的时间，消耗最少的精力，走最长的路。

——罗曼·罗兰

狼是草原上最活跃的动物之一，但是除了玩耍的小狼以外，你很少能发现成年狼到处奔跑来浪费它多余的精力。美国一位著名的动物行为学家说："狼总是走最短的路来达到目的，可以说，在狼的一生当中，一直是在走直线，而直线的最终，就是猎物的所在之处。猎物这个目的，就是狼行为的指示灯。可以说，狼接近猎物的方式相当简单而高效——直奔目标，直接抵达。"

在崇尚个性、竞争激烈的时代，"弯路"这个词总是一再地出现在我们的字典当中。尽管每个人都在尽可能地避免多走弯路，但是我们不得不承认，在我们所付出的努力当中，有很大一部分是在做无用功。社会分析学家称这种现象为"迷路效应"，意思是说，人类做无用功就好像迷路的人走无用的路一样，白白地浪费了体力和时间，却收不到一点正面的效果。

船只在大海上航行，因为缺乏参照物，即使是经验丰富的舵手，有时候也容易迷路，但是只要有了灯塔，船只就可以轻易地找到方向，避开激流暗礁，用最少的时间，走最少的路程来到达终点。

在生活中也是一样，我们要想取得成功，也需要有"灯塔"的指引，这种灯塔就是我们自己定的一个又一个人生目标。

每一个年轻人都有很多的梦想，但是为什么和以前相比，越来越多的人反而有无所适从的感觉呢？

灯塔有两个特点：一是固定性，一旦修建了灯塔，不管风吹浪打，都能屹立不动；第二个特点是正确性，灯塔的灯光，可以指挥船只绕过暗礁、躲过激流，找到正确的航向。理想也是如此，理想一旦确定形成，就要有恒心和毅力坚持，不可轻易改变。而且理想必须是正确的、可行的，错误的目标往往带来的不是成功，而是致命的伤害。

战国时魏王想攻打赵国，大夫季梁到赵国去旅行。旅途中他忽然得到了魏王想发兵攻打赵国的消息。季梁立刻感到这种行为并非上策。为制止魏王攻打赵国，他赶忙停止旅行，转身返回魏国去。

他一回到魏国，衣也顾不得换，脸也顾不得洗，便匆匆忙忙地去见魏王。

魏王奇怪地问：“你不是去旅行了吗？为什么又匆匆忙忙跑了回来？”

季梁不紧不慢地说道：“我在旅行的时候看见了一件有意思的事情，特意回来讲给大王听。当我走在赵国地域上的太行山下时，遇到了一人乘着一辆马车由南向北行驶。但他却声言要到楚国去。我觉得他走的方向不对，便说：‘您到楚国去，为什么不朝南走反而向北去呢？难道你不知道楚国在南边吗？’那乘车人回答说：‘没关系，我的马好，跑得快！’我说：‘你的马虽然好，可你走的并不是去楚国的路呀？’那乘车人又道：‘不怕，我带的路费多。’我又说：‘你的路费多又有什么用呢？这确实不是去楚国的路呀。’那乘车人坚持着要往北去，并说：‘我的车夫赶车的本领高！’我说：‘你的这些条件再好，如果朝北去，离楚国也只能是越走越远呀！’”

讲完故事以后，季梁直言道：“大王您的志向是建立霸业，成为诸侯的首领。为此目的，你倚仗着国家的强大与军队的精良，想通过攻打赵国的办法，来扩大地盘和抬高威望。可你这样做，别的国家会怎样想呢？我觉得，你这样攻打别国的次数越多，离开你的宏伟志向就越远。这不正如那一个乘车的赵国人欲去楚国而不朝南反朝北走一样吗？”季梁的这番话，说得魏王脸红了，最后取消了攻打赵国的计划。

这则“南辕北辙”的寓言我们在小学的时候就已经接触过，其中的道理就是，一旦一个人偏离了正确的目标，甚至选择了错误的目标，那么不管他有多么好的条件，付出多么大的努力，都不可能取得成功，甚至只会离成功越来越远。

现代社会，物质生活越来越丰富，随之带来的是精神生活的相对贫乏，越来越多的人在繁华的物质世界里迷失了自己的方向，不知道自己的人生目标是什么，人也就变成了一个失去灯塔指引的航船，在生活的海洋里随波逐流，再也没有自己的方向，甚至被冲向旋涡的深处。

那么，怎样才算是有正确的人生目标？是赚更多的钱，成为亿万富翁，还是为人类的幸福奋斗终生？是获得爱情，建立美满的家庭，还是通过学习研究，站在艺术和科学的顶峰？

可以说，都是，也都不是。每个人都有自己的人生观和价值观，正确的人生态度就是在你回首往事的时候，认为你当年所建立的总体目标是正确的，在奋斗的过程中没有偏离大的方向，即使是没有取得巨大的成就，我们的人生依然是充实的，那就说明我们没有偏离理想灯塔的指引。

法国的一家研究机构，曾对全国 65 岁以上的老人搞了一次专题调查。题目是：令你后悔的往事，并列出了十几项生活中容易后悔的事情，供被调查者选择。调查的结果是，72% 的人后悔年轻时努力不够，以致事业无成。这是一个经验，如果别人工作你也工作，别人休息你也休息，别人娱乐你也娱乐，那么别人得到什么，你也只能得到什么。要想得到别人得不到的东西，就得付出别人不愿付出的东西。尤其是在你还年轻的时候，在还有机会竞争的时候。

67% 的人后悔年轻时错误地选择了职业。按时下的择业观念，许多人的第一目标，是要到时候能拿工资、领福利。但他们却忘了，没有了压力，也就没有了动力。没有了动力，也就发掘不出潜力。不是天下伯乐太少，而是自己埋没了自己。

63% 的人后悔对子女教育不够或方法不当。

58% 的人后悔身体锻炼不足。忘了是谁说过这样一句话：“60 岁以前想用身体换一切，60 岁以后想用一切换身体。”世界上，还有什么东西能比身体健康更宝贵？有人曾经提出一个口号，叫“小车不倒只管推”。作为一种精神，也许值得提倡。但从另一个方面去看，强行去推病车、坏车，这就只能越推越病，越推越坏，缩短“小车”的生命，降低“小车”的价值。

只有11%的人后悔没有赚到更多的钱。对于还没有赚到很多钱的年轻人和中年人来说，这也许是个很好的安慰。有钱虽然能够办很多事情，但赚钱并不是人生最重要的目的。年轻的时候后悔还可以改进；年老的时候后悔，想补救也来不及了。

人生理想有远大的，也有务实的；有简单的，也有复杂的。不管怎么样，只要有了一个正确的人生理想，并坚持为之奋斗，那么在人生道路上我们就永远不会走弯路，在满头白发回首往事的时候，我们也就不会为蹉跎岁月而懊恼不已。那时我们就可以自豪地说：“我之前所活的每一天都是积极的、有效的，值得的。”

### ◆　狼的自述

我们绝对不会花费任何多余的时间和体力在无意义的事情上，因为我们的眼睛永远只盯着猎物。

# 第2章

# 物竞天择　适者生存

在生物进化学之父达尔文的《物种起源》里面，总结出所有生物能够存在并繁衍下去的唯一原因就是可以适应环境的变化，并总结出生物进化的唯一真理："物竞天择，适者生存。"

在上亿年前，身体庞大的恐龙曾一度统治过地球，在世界上找不到任何一种生物可以与它们抗衡，但是恐龙最后还是灭绝了，永远地退出了历史舞台。原因只有一个——它们不能适应周围环境的变化。

在哺乳动物当中，适应能力最强的就要数狼了，它的栖息范围包括苔原、草原、森林、荒漠、农田等多种环境。海拔高度也不能限制其分布，在青藏高原，狼的分布很广，密度也较大。在温带地区，如蒙古高原，狼遍布草原。在北半球的所有地区，包括沙漠的边缘和北极，都留下了狼群的足迹。

## 适应环境就是成功

生活是不公平的，要去适应它，而不是去逃避它。

——比尔·盖茨

狼在对环境的适应能力上更胜其他动物一筹。从寒冷冰封的北极到炎热难耐的赤道，从终年干旱的沙漠到湿润潮湿的雨林，从季风肆虐的海边到空气稀薄的高原，到处都有狼生存的足迹。寒冷、饥饿、疾病，甚至人类的屠杀，都没能让这个顽强的种族退缩。一旦环境改变，狼往往是最先做出反应的动物，正因为如此，才使它们成为动物界的强者。

伟大的生物学家达尔文在《物种起源》一书当中已经明确地提出了“物竞天择，适者生存”的进化理念，凡是在自然界生存下来的生物，都是在这一自然选择的条件下的优胜者。

达尔文的进化论在人类世界中同样适用，整个人类的发展史其实就是一部适应史，人类就是在不断适应的道路上探索、收获和走向更加文明与进步的。人们最终的结局之所以会有天壤之别，关键在于谁在其中更能以积极进取的热情和坚忍不拔的理性去适应社会了。

适应能力对于每个渴望获得成功的人来说都是非常重要的，或者说这也是他必须具备的基本素质。如果一个人连最基本的适应能力都做不到，恐怕真的会连生存都会出现问题，更不要说其他了。

在大西洋的一个不知名的小岛上，生活着一种漂亮的红嘴鸟。亚热带的温暖气候和长年不断的潮湿季风使这里成了植物的天堂。红嘴鸟以岛上的昆虫和植物种子为食，过着无忧无虑的生活。

但是，有一年，一场海啸摧毁了岛上的大多数植物，而紧接着的长达7个月的干旱更是给岛上的生物带来了灭顶之灾——几乎所有的植物都灭绝了，只剩下一种叫作“球刺”的矮小灌木。

这种灌木枝条柔韧，体型矮小，可以抵御很强的台风，而且它们的枝条上有厚厚的蜡质层，有效地阻止了水分的蒸发。最重要的是，它的种子周围是结实的木质结构，还带有很多的尖刺，这样既防止了成为鸟类的口中美食，又可以随时抓住地面上的一切东西，生根发芽。正是因为这种适应干旱多风天气的特性，才使这种植物在岛上残留了下来。

岛上的动物大部分也因为恶劣的环境而灭绝了，但是令生物学家惊异的是，一部分红嘴鸟因为不能适应环境的变化而死亡，而另外一部分却安然地生存了下来。在生与死之间它们到底有什么样的差别呢？活着的红嘴鸟靠什么样的“秘密武器”才成为自然选择的优胜者？

生物学家带着疑问来到了岛上，经过三个月的调查研究，终于发现了其中的秘密。原来植物的灭绝使岛上的鸟类失去了食物，唯一可以维持鸟类生存的食物就是“球刺”的种子。

但是红嘴鸟在吃这种食物的时候却像在攻克一座堡垒一样困难：先要用爪子按住带刺的种子，然后用长喙啄开坚实的外壳，用尽全力才能够到里面那用来“活命”的种肉。

科学家发现，生存下来的红嘴鸟的喙比淘汰出局的红嘴鸟的喙要长出0.1毫米。就是这0.1毫米，造成了生与死的差别！

俗话说：“失之毫厘，谬以千里”。一部分红嘴鸟先一步适应了环境，获得了宝贵的生存权，而那些没有适应环境的，则付出了生命的代价。在人类社会当中同样如此，社会科学家提出了一种“第一效应”理论，比如运动会，绝大多数人的目光都聚集在冠军的身上，哪怕亚军比冠军只差那么微不足道的一点点，也会造成巨大的反差。

再比如一群人同时到一家公司工作，他们的能力都相似，现实的情况是，往往那些最先适应新环境的人，最容易得到提拔，成为管理者。

为了更好地适应环境，我们应该以一种积极的心态去改变自己，而不是逆来顺受。很多人错误地以为，逆来顺受就是对环境的适应，这是绝对错误的一种想法。对环境适应的最终目的是为了让自己变得更强，而逆来顺受只会让你成为环境当中最底层的弱者。

当环境改变，尤其是向坏的方面变化的时候，一方面，我们不能逆来顺受，当做什么也没发生；另一方面我们也不能怨天尤人，让失望与愤怒冲昏头脑。正确的做法应该是用我们自己乐观的精神，不断去适应新岗位、新环境，同时也是在面对新的机遇，在变化中寻找走向成功的机会。

卡加隆是德国大众汽车公司某区域经理。正当他事业上一帆风顺、业绩蒸蒸日上之际，公司开始大规模裁员，有将近1/3的人被解聘。他虽然幸运地保住了饭碗，但却丢掉了经理的职位。卡加隆很是痛苦了一段时间，他甚至考虑过转行做饮食方面的生意。但值得庆幸的是，最后他没有被环境变化造成的挫折所压倒。降级后的他及时调整自己的心态，逐渐适应了新环境，不但没有消沉下去，反而更加努力地工作。几个月后，他重新被提升为该地区的销售经理。

优秀与平庸之间往往就在于你对环境适应过程中的前后一秒钟上，越是主动的人，越容易抓住这宝贵的一秒钟，从而在变化中适应，在适应中为自己营造成功的云梯。

社会是一个大的群体，个人的力量与整个社会环境相比永远都是微不足道的，所以在适应环境的过程中，每个人一开始扮演的都是一个被动的角色。那么怎么样才能化被动为主动，把生活的节奏掌握在自己的手中呢？答案就是学习与变化。

没有人生来就懂得很多、会做很多的事的。每个有辉煌成就的人都是在不断的适应中丰富和成长起来的。但这并不表明你就可以高枕无忧地躺在已有的优势上洋洋得意了。即便你现在已经和恐龙那样强大了，但如果你放弃了在适应之旅中继续前进，那么，恐龙的悲剧就有可能在你身上重演。这就像温室里永远也长不出傲立风雪的苍松翠柏一样，必须不断地在风霜雨雪中忍受着意志的考验，经受着酷暑严寒的磨炼，从弱小到茁壮成长，才能成为参天的栋梁之材。

20 世纪 70 年代，著名的波音公司董事长威尔逊先生就开始着手物色继承人。他制订了一份波音高层主管的发展计划，以便选出波音未来更出色的领导人。

在这个计划中,威尔逊列出了包括十几个人在内的候选人名单，将他们任命为自己的副手，并不断地向他们施以压力，他要看看他们中间到底谁更能在适应中经受住多个岗位工作的考验。

经过一次次激烈的竞争，一次次严密的筛选，最后候选人名单上只剩下了两个人：简·桑特和弗雷特·冯茨。桑特的专长是工程，而冯茨的专长是企业策划。

威尔逊为了能更真实地检验一下两个人的实际能力，首先调换了两个人的工作，看一下他们的综合能力。

威尔逊先找到桑特说："桑特，你先暂时离开 767 案组，来总部搞企划，好吗？"桑特没有考虑就答应下来，然后去总部报到，迎接新的挑战。

接着，威尔逊又给弗雷特·冯茨打电话说："冯茨，准备一下，公司决定让你暂时离开企划部，去管理 707、727、737 部门。"

"可是，我根本不了解那儿的情况啊。"冯茨提出了疑问。

"你害怕承担责任吗？"威尔逊皱起了眉头。

"不，当然不是。威尔逊先生，我只是认为不应当冒险承担失败。"冯茨果断地回答。

威尔逊的眉头舒展开来，他故意用生气的口气说："公司已经决定了，努力去干吧！"

冯茨也只得走马上任了。冯茨在管理 707、727、737 部门的同时，也通过不断的实践、探索来使自己适应新的工作环境和任务，最后成功地开发了 737-300 型飞机。这种飞机为波音赢得了大量的订单，大大地提高了公司的收入。而此时桑特的工作也特别出色。

接着，冯茨又被派到民机集团坐飞机销售工作。他很快适应下来，以律师的雄辩口才，在各类谈判中屡建奇功。另外，在与空中客车公司、道格拉斯等大公司的竞争中，也为波音公司立下了汗马功劳。

通过不断地适应，冯茨源源不断地爆发出自己的潜能，而且每到一个新的岗位上都能迅速地游刃有余地处理好各种问题。对于这一点，他自己都感到惊奇，后来成为董事会主席的他对波音公司的全体员工说："很多的事实证明，在多层次上具有适应能力，并在适应的过程中能够发扬光大的人，才是一个最出色的也是值得重用的人！"

适应不是一句轻飘飘的话，在适应的过程中肯定有碰壁的疼痛和酸楚的泪水，也肯定有面对坎坷与荆棘的茫然和彷徨。任何能通达成功顶峰的路都不会坦荡如砥的，在蜿蜒崎岖的路径上高呼着响亮的口号，让自己像个勇士那样，在适应的过程中越挫越勇的人，最后才会赢得出色者应得的鲜花与微笑，最先适应新环境的人必定是离成功最近的人。

## ◆ 狼的自述

自然是神圣和伟大的，生活在各种多变的自然环境下本身就需要很强的能力。如果不能改变自然，就只有适应自然。

# 面对压力，狼的头昂得更高

井无压力不出油，人无压力轻飘飘。

——王进喜

风雪漫天，草原上没有任何地方可以躲藏，狼群就依偎在一起取暖，以抵抗寒冷的压力；干旱季节，狼群往往数十天找不到任何食物，个个饿得皮包骨头，抵抗着饥饿的压力；人类入侵，草原沙化，狼群又不得不抵抗着生存的压力。不管压力有多大，狼群都一直高昂着不屈的头颅，压力在它们眼里，只不过是前进的动力，是取得成功的必然过程。

从本质上说，适应环境的过程，就是一个战胜压力的过程。在现代社会，竞争残酷而激烈，每个人都会遇到工作、生活以及其他方面的巨大压力。这时候，有些人战胜了压力，他们的生活就充满了胜利的愉悦与成就感；有些人被动地承受压力，他们的生活则是阴暗的，永远没有阳光。

压力是客观存在的，关键就在于我们怎么样去看待压力，对压力是否有一个正确的态度。压力就好像是一块石头，如果你把它扛在肩上，那么它就是你前进的负担，是你成功路上的拦路虎、绊脚石；反过来，如果你把它垫在脚下，那么压力就是你成功的助力，聪明人总是可以想办法把压力变成鞭策自己的动力，让自己更快地取得成功。

一位出生在普通人家的年轻人十分喜欢文学，但在他 30 岁之前从来没写过令自己满意的作品。

他的父亲希望他能经商，这样生活可以因此更富足些，但是他却希望能够继续写作。他最大的希望就是有人能提供他一年的生活费用，让他能够安稳地写作。

但残酷的生活压力让他不得不走上了经商的道路，他先后办了几个厂子，但没有一家能够成功；他也曾和出版商合作，经营书籍，但也失败了；他又办了铸字厂和印刷厂，但命运似乎总是在和他开不合时宜的玩笑，这两家厂子不仅先后倒闭，而且欠下的巨额债务足以让他还 30 年。没有钱的他不得不走上卖字求生和还债的道路。一年之内，他发疯似的写下了三部小说，但那些书反响平平，销售也不理想，而且因为版权得不到保护，即使小说写成，也不足以解决生计问题。

无奈之下他改做记者，为多家日报撰稿，他每天写大量的文字，换来微薄的稿酬。债主天天上门逼债，他绝望过，也想过放弃。但他十分崇拜白手起家、意志坚强的拿破仑，他把拿破仑的画像放到书桌前，鼓励自己必须坚持下去。近似于绝望的生活不仅没有打倒他，生存的压力反而更激起了他无穷的斗志。

他又开始创作小说。一天睡四五个小时，喝大量咖啡，每天晚上 8 点上床，午夜起来写作，直到早晨 8 点。为了让自己的文字尽快变成金钱偿还债务，每天早餐之后，他就把手稿送到印刷厂。因为创作时间仓促，文章上经常有错字和文理不通的部分，他只好对校样改了又改，而且他不是只改动几个标点，而是大段大段地重写。一本名叫《老处女》的小说，他一连改了 9 次，最后让排字工人十分厌烦，他们甚至抗议以后不再排他的文字。

他在 30 岁之后的生活几乎全是为债务而发疯似的写作。在后来的 20 年内，他创造了 100 多部小说，其中的《高老头》等数十篇小说成为传世之作。在他逝世的前两年，他还在修改 20 多年前的手稿。

他就是法国著名的作家巴尔扎克。巴尔扎克能从一个平庸作家成为著名作家，动力竟来源于那些巨额债务的压力。为挣钱还债，他写作、写作再写作。

巴尔扎克的故事让我们明白，压力是成功的催化剂，它可以催生许多奇迹。

老当益壮，宁移白首之心；穷且益坚，不坠青云之志。年龄的压力算什么？生活的压力又算什么？把压力踩在脚下的人总是生机勃勃的，总是乐观向上的。

现代社会生活中的压力症，不仅在精神上是沉重的负担，在肉体上也是使人们身心疾患发生的根源。现代医学证明，很多心脑血管疾病就是因为工作生活压力太大造成的。

把压力转化为动力固然是适应环境的一种方法，但是，人的精神和肉体上的负荷毕竟有限，当我们在面临各方面的压力，或者压力过于强大时，大多数人是没有办法把压力完全转化成动力的。这时候，我们就需要学会舒缓压力，把压力对身心的损害降到最小。战胜压力不是忍受压力，人好比是一个气球，虽然你可以把压力转化成动力，就好像气越多，气球就越大。但是每只气球的容量都是有限的，每个人对压力的承受能力也有一个限度，如果超过了这个限度，气球就会爆炸，人就会崩溃。

所以，学会缓解压力也是适应环境的一种手段。最近的精神科学研究发现，对于“压力”采取一种完全无反应、无视的态度，有助于维持身心的健康。

欧美的体育、企业方面的心理专家提出“压力管理学说”，主张通过幽默，控制情绪、动机、态度，放松神经训练，食物疗法、呼吸训练、想象、视觉化训练等方法，来有效地对抗压力的负面效应。

我们在缓解压力的时候，有必要掌握一些心理策略和科学方法。

首先，当我们遇到“压力”时，要仔细地区分一下，是“长期压力”还是“短期压力”，是“突发性、急性压力”，还是“缓慢性、进展性的压力”，做到对“症”下“药”，有的放矢。

解除“压力”，大致可分为两大方法：一是治本。即把产生压力的原因加以消除，因此亦叫“预防”，这样可以使我们受到的不良压力减小到最少。二是治标。寻找“压力的疏导口”，将体内积蓄的“压力”，有效地疏导、发泄出去，使之不危及身心健康，因此也叫作“发泄”疗法。

一个酒吧的老板，努力想让自己的生意好起来。为此，他尝试了不少方法：对酒吧进行豪华装修、着力提高服务质量、延长营业时间、打折，等等，但是都收效甚微。

一天，一位著名的心理学家在这家酒吧小饮，老板在闲聊当中对心理学家说出了自己的苦闷。心理学家问：“到你这里来的一般都是些什么客人？”老板想了想说：“我这里周围都是一些繁华商业中心或者写字楼，来这里消费的一般都是一些白领。”

心理学家笑着说：“那就简单了，你在楼上单独开辟一个小房间，隔音效果要好，里面什么也不用放，只把顾客们喝剩的空瓶子堆在里面，凡是进去的人都可以随便摔瓶子，一个瓶子收费2美元。”

老板迟疑着说：“这能行吗？我这里一瓶啤酒才卖2美元。而且这主意听起来有点疯狂。”心理学家讳莫如深地笑着说：“你试试就知道了。”

一个月后，心理学家又一次光临这家酒吧，老板激动地拉住他的手说：“你的主意简直太棒了！今天我一定要好好请你喝一杯。”原来，酒吧老板半信半疑地按照心理学家的指导装修了一间房子以后，果然有很多人肯出2美元进来摔一下瓶子，不但如此，楼下卖酒的生意也好了很多。

“这里面到底有什么玄机？”酒吧老板迫不及待地问。

“其实很简单。”心理学家说，“这里的顾客一般都是周围的白领，他们平常的工作压力非常大，每个人都有发泄一下以缓和压力的愿望，但是他们都是受过良好教育的人，这边的治安管理也很严格，他们的住所一般也是安静的公寓。所以他们根本就没有地方发泄情绪，以缓和压力。如果有一个地方可以合理又合法地尽情发泄，肯定会十分受欢迎。对于喜欢喝两杯的人来说，有什么比狠狠地摔酒瓶子更痛快的发泄方式呢？”

从上面的例子我们可以看出，现代人的精神压力有多大，需要释放、发泄压力的愿望有多强烈。物质、精神生活水平的提高已经使人类的平均寿命越来越长，但是最近的一项研究显示，那些从事压力较大工作的人，比周围人的平均寿命要低3～5岁。压力之祸，可见一斑。

如何缓解工作、生活上的压力，是目前心理学、社会学研究的主要问题。舒缓压力的方式有很多，下面我们列出几种常见的缓解压力的方法。

一、分类法——在纸上写出您在家庭、职业、社会生活中的压力及其原因，对于每一条“压力”，请思考三种不同的处理方法，必要时与心理医生协商。分类法可以让我们明确知道自己面对着哪些压力。

二、自我赞美法——有时候要“自我吹嘘”“自我赞美”一番，保持自我的良好感觉。这看起来可能有点像阿Q，但是对于舒缓压力确实有效。

三、 推卸责任法——这里所说的推卸责任不是说把自己应该负责的事情往外推，而是说不要将责任都揽到自己身上，要设法学会同他人合作，同他人分担责任。

四、补充睡眠法——保持充足的睡眠是缓解压力的最直接最有效的方法，切勿过分透支青春。

五、倾吐法——俗话说，不要把事情都憋在心里，那样容易憋出病来。这里所说的“事情”就是指压力。在压力过大的时候，找亲人或者朋友甚至陌生人，好好地谈谈心，把心事都说出来，压力自然就小很多了。

六、笑看成败法——人的压力很大一部分来自于生活或者事业的挫败感，有一个正确的成败观念对于我们缓解压力至关重要。不要过分拘泥于成功。失败是成功之母，“有意义、有经验的失败”要比“简单的成功”获益更大。

七、其他心理疗法——运用幽默、微笑、催眠法和呼吸放松疗法保持大脑神经健康，或者直接咨询心理医生。

压力是不可避免的，要想更好地适应环境，就必须战胜压力，把一部分压力变成前进的动力，把过多的压力通过各种方式进行消除。只要没有了压力的烦扰，我们会发现，原来世界是如此的阳光灿烂！

### ◆ 狼的自述

如果注定要承受痛苦，那么就把痛苦当作是一种磨炼，既然一切不可避免，就让暴风雨来得更猛烈一些吧！

## 练就弹性性格

尺蠖之屈，以求信也；龙蛇之蛰，以存身也。

——《易经》

在草原上，随着时间的推移，不断地有生物产生，有生物消失。环境的变化造成物种的变迁是很正常的一件事情。但是狼却不管环境怎么变，始终是草原上的不二王者。成千上万年艰苦环境的磨炼，不仅磨炼了狼钢铁一样的意志，而且养成了狼的弹性性格。

现实生活中也是如此，在同样的环境下，同样学历或者能力的人，有些人一举成名，获得事业、人生的成功，有些人默默无闻，甚至被淘汰出局。为什么同样的环境下不同的人会出现如此大的差异呢？归根结底还是在对环境的适应上。在社会生活当中，有一个能够适应环境的“弹性性格”是必不可少的。

什么是弹性性格？弹性本来是物理学中的一个概念，它是指物体在受外力作用下，产生形变，若除去外力后形变随之消失。物理学中有一条定律，它的意思是，在弹性限度内，物体的形变如扭曲、拉伸，均与弹力体的弹力成正比。把这条定律用在人的性格培养上，其要义就是使人的性格具有弹性，能伸能缩，能够正确对待与处理生活中遇到的各种困难。

一根筷子，用力一折，很容易就断了，可是一根藤条，却无论如何也折不断，难道是藤条比筷子更结实吗？事实上并非如此，只不过是藤条比筷子更柔韧罢了。生活中也是一样，我们生活的环境总是在不断变化的，环境的变化总是会影响到身处其中的人，就好像我们给筷子和藤条加的外力。

有些人，就好像筷子一样僵硬，环境变化时，还不肯低头，不知变通，结果也自然和筷子一样落得个折断的下场。而真正能适应环境的人则像藤条一样，该长的时候长，该短的时候短，随着环境的变换不断地调整自己以适应环境，这样的人才能够成功地生存在这个世界上。《易·系辞下》有这样一段文字：“尺蠖之屈，以求信也；龙蛇之蛰，以存身也。”

三国时期的司马懿，就是个能屈能伸、有弹性性格的人。魏明帝死后，太子曹芳即位，就是魏少帝。曹爽当了大将军，司马懿当了太尉。两人各领兵三千人，轮流在皇宫值班。曹爽虽然说是皇族，但论能力、资格都比司马懿差得远。开始的时候，他不得不尊重司马懿，有事总听听司马懿的意见。

后来，曹爽手下有一批心腹提醒曹爽说："大权不能分给外人啊！"他们替曹爽出了一个主意，用魏少帝的名义提升司马懿为太傅，实际上是夺去他的兵权。接着，曹爽又把自己的心腹、兄弟都安排了重要的职位。司马懿看在眼里，装聋作哑，一点儿也不干涉。

曹爽大权在手，就寻欢作乐，过起荒唐的生活来了。为了树立他的威信，他还带兵攻打蜀汉，结果被蜀军打得大败，差点全军覆没。

司马懿表面不说，暗中自有打算。好在他年纪也确实老了，就推说有病，不上朝了。

曹爽听说司马懿生病，正合他的心意。但是毕竟有点不放心，还想打听一下太傅生的是真病还是假病。

有一次，有个曹爽的亲信官员李胜，被派任为荆州刺史。李胜临走的时候，到司马懿家去告别。曹爽要他顺便探探情况。

李胜到了司马懿的卧室，只见司马懿躺在床上，旁边两个使唤丫头伺候他吃粥。他没用手接碗，只把嘴凑到碗边喝。没喝上几口，粥就沿着嘴角流了下来，流得胸前衣襟上到处都是。李胜在一边看了，觉得司马懿病得实在可怜。

李胜对司马懿说："这次蒙皇上恩典，派我担任本州刺史（李胜是荆州人，所以说是本州），特地来向太傅告辞。"

司马懿喘着气说："哦，这真委屈您啦，并州在北方，接近胡人，您要好好防备啊。我病得这样，只怕以后见不到您啦！"

李胜说："太傅听错了，我是回荆州去，不是到并州。"

司马懿还是听不清，李胜又大声说了一遍，司马懿总算有点搞清楚了，说："我实在年纪老，耳朵聋，听不清您的话。您做荆州刺史，这太好啦。"

李胜告辞出来，向曹爽一五一十地说了一遍，说："太傅只差一口气了，您就用不着担心了。"曹爽听了，甭提有多高兴啦，再也没把司马懿放在心上。

公元249年新年，魏少帝曹芳到城外去祭扫祖先的陵墓，曹爽和他的兄弟、亲信大臣全跟了去。司马懿既然病得厉害，当然也没有人请他去。

哪知等曹爽一帮人一出皇城，太傅司马懿的病全好了。他披戴起盔甲，抖擞精神，带着他两个儿子司马师、司马昭，率领兵马占领了城门和兵库，并且假传皇太后的诏令，把曹爽的大将军职务撤了。

曹爽和他的兄弟在城外得知消息，急得乱成一团。有人给他献计，要他挟持少帝退到许都，收集人马，对抗司马懿。但是曹爽和他的兄弟都是只知道吃喝玩乐的人，哪儿有这个胆量。司马懿派人去劝他投降，说是只要交出兵权，绝不为难他们。曹爽就乖乖地投降了。

过了几天，就有人告发曹爽一伙谋反，司马懿派人把曹爽一伙人全下了监狱处死。

司马懿这一伸一缩，就把心腹大患给除掉了。司马懿不仅在政治上能屈能伸，在战争当中也是如此，一开始在北方指挥作战的时候，司马懿大开大合，打了不少胜仗，这是其能伸的一面。后来，诸葛亮带兵进攻魏国，司马懿深知自己在谋略上不如诸葛亮，只好缩起来坚守。诸葛亮就想出一个计谋，派人给他送了一套妇女穿的衣服，嘲笑他像女人一样没胆量。其他的将领都十分气愤，纷纷要求出战，但是司马懿旁若无人地穿上女人的衣服，继续喝酒。诸葛亮没办法，粮草快耗光的时候只好率兵撤退了。

正是靠着这种能屈能伸的顽强适应能力，司马氏在三国的乱世中崛起，最终取代了魏、蜀、吴三国，建立了晋朝。和司马懿相反的是，东晋时代的陶渊明却是一个宁折不弯的人。他为了养家糊口，来到离家乡不远的彭泽当县令。这年冬天，郡太守派出一名督邮，到彭泽县来督察。督邮品位很低，却有些权势，在太守面前说话好歹就凭他那张嘴。这次派来的督邮，是个粗俗而又傲慢的人，他一到彭泽的旅舍，就差县吏去叫县令来见他。

陶渊明平时蔑视功名富贵，不肯趋炎附势，对这种假借上司名义发号施令的人很瞧不起，但也不得不去见一见，于是他马上动身。不料县吏拦住陶渊明说："大人，参见督邮要穿官服，并且束上大带，不然有失体统。督邮要是乘机大做文章，会对大人不利的！"这一下，陶渊明再也忍受不下去了。他长叹一声，道："我不能为五斗米向乡里小人折腰！"说罢，索性取出官印，把它封好，并且马上写了一封辞职信，随即离开只当了八十多天县令的彭泽。

陶渊明"不为五斗米折腰"的气节是令人敬佩的，但是他这种不知变通的做法却值得商榷。他愤然离任，百姓失去了一个廉洁奉的好官；督邮也没有受到应有的惩罚；陶渊明自己也失去了前途。如果换一种做法，通过自己的影响和才华或者其他途径，既惩罚了敌人，又保全了自己，岂不更好？

有弹性的心灵才有轻松和自由。所谓弹性，那就是能屈能伸，刚硬的玻璃，虽然明澈，却经不起丸石一击；细柔的藤条，因其坚韧，才使它充满活力。在有些场合，如在大是大非的原则上，我们应该像玻璃一样刚硬透明，但在一些细小的问题上，我们又必须像细柔的藤条一样，显示出灵活性与多变性。

我们都试图选择一种轻松的生活方式，于是我们唱歌、跳舞。而波动的生活又常常使我们心力交瘁，加上意外的打击，生命的意义变得模糊，缺乏弹性，生命成了易碎品。生命是一个人的不可转让的权利。我们追求心灵的轻松和自由，过内心宽松的日子，这并非游戏人生，轻松的感觉会使我们的行为更富有人性和潇洒，会使我们的生命减少耗费。一个人自己活得累，会使你周围的人也感到很累。

我们希望尽可能多的获得别人的认同和接受，我们就要尽可能多的释放出这种轻松的气息。只有轻松才能使彼此都享受到和谐的快乐。我们提倡真诚坦率，但面对一个为人坦荡、无拘无束、说一不二、从不妥协的人，尽管他不是口是心非，虚伪做作，我们也只好敬而远之，远而避之。因为真诚坦率是指一个人的内涵，不是缺乏弹性的性格。弹性不足的人，在压力面前便会内心慌乱，使小事变大，易事变难，进而失去机会，失去进取心。弹性也是有限度的，即不违背做人的正直原则，过之则丧失了人品。

个人能力是适应环境的重要一环，但是这并不意味着这种能力在不同的环境里通通适用。在大海里，鲨鱼是无敌的霸主，可是在鱼缸里，金鱼却比鲨鱼生活得自在。

每个人都有“怀才不遇”的情况，这时候与其怨天尤人，还不如踏踏实实做好自己目前的工作。姜子牙“垂钓于渭水”，诸葛亮“躬耕于南阳”，后来他们都成了著名的人物，说的都是这个道理。

一个名牌大学毕业的博士，在一开始找工作的时候却遭遇到了不少困难，经过分析，他发现几家公司都是因为他的学历过高，但是又不了解他的工作能力才犹豫的。

于是他找出自己的本科毕业学历，重新找了一份普通的工作。

过了一段时间，老板觉得他的能力远远高于其他同事，甚至很多不是一个本科学历的人能做的事情，他都能顺利完成，老板对此十分惊讶。

这时候，他又拿出了自己的硕士毕业证，老板很顺利地给他安排了一份适合硕士的工作。又做了一段时间，老板发现他的能力还是比周围的同事强很多，于是他又把他的博士毕业证书拿了出来，最后终于得到了老板的重用。

心理学家告诉我们，人的性格虽然比较稳定，但又不是一成不变的，它具有可塑性。弹性性格的形成，在很大程度上直接依赖于实践活动的锻炼。我们可以根据自己所处的环境和条件，结合自己性格上存在的缺点，有意识地进行侧重性锻炼。如果是急躁易怒、容易冲动的“火爆型”性格，在实践中应注意多干些耐心细致的工作，逐渐养成耐性和“雅量”；如果是孤僻不合群、沉默不多言、敏感不开通的“闷葫芦型”性格，就要多参加集体活动，在活动中培养合群性格；如果是忧郁悲观、总觉得矮人一头的“自卑型”性格，则应根据自己的特长多参加诸如爬山、游泳、打球、射击等带竞争性的活动，以展示才华，培养和锻炼自己的进取心和自信心。

总之，弹性性格的培养，不是一朝一夕、一蹴而就的事情。但只要从点滴做起，长期坚持，就能培养出面对失败而不屈、面对厄运而刚毅、能伸能缩、刚柔相济的弹性性格来。就好像坚硬的顽铁，经过千锤百炼，最终变成“绕指柔”一样。

## ◆ 狼的自述

要想能做大事，就必须能屈能伸，只要能达到最终目的，过程可以有很多选择。

# 张弛有度，能文能武

成功路上我们往往也会停留下来短暂休息，是为了更好地风雨兼程。

——席慕蓉

野生状态的狼可以用“静若处子，动如脱兔”来形容，在平常状态下，狼从外表看来甚至是温顺的，是文静而放松的。在狼群当中除了正在嬉戏的小狼，大多数狼都是安静的。但是一有突发情况发生，所有的狼又能马上神经紧绷，变得勇武无比，投入到高强度的运动当中。

对突发事件的处理及应对能力是考察人或者动物对环境的适应能力的一个重要指标。有人认为，所谓的适应环境就是不断拼搏，忍受痛苦，这样的说法是不全面的。人不仅要适应整体的大环境，也要能对生活当中的一些突发事件进行有效的处理。

中国有句古话说：“一张一弛，文武之道。”现在的社会节奏快、竞争激烈，这要求人们一方面要能够“紧张”得起来，可以应付任何突发事件和激烈情况；另一方面也要求人们能够“放松”得下来，让身体和心灵都得到休息，以更好的状态去迎接更高的挑战。

社会上的人大致可以分成三种：第一种是拿得起，放得下。在工作或者干正事的时候精力充沛、魅力四射，这样的人往往很容易就获得成功，而且生活得也很快乐。第二种是拿得起，放不下。一旦在工作上或者其他方面有了什么问题，他们可以夜以继日地从事劳动，但是却往往忽视了休息。即使在休息的时候，也在想着没做完的事情，心理压力负担很重，这样的人可能取得一些成就，但是因为总是“放不下”，所以很难快乐起来，而且因为过分地透支心理精力，不注意劳逸结合，健康往往会出现一些问题。第三种人是既拿不起也放不下。他们就好像是蜷缩在贝壳里的寄居蟹，成天无所事事，这样的人是不会有任何成就的。

猝死，已经成为威胁人类生命的最可怕杀手之一，每年世界上都有几十万人在毫无征兆的情况下猝然死去。有些医疗机构把猝死定义为劳累过度，并称猝死为“过劳死”。为了揭开猝死的面纱，法国一家医疗机构进行了一次调查，结果发现，在猝死的比例当中，最多的不是那些强体力劳动或者强脑力劳动的人，而是那些精神压力比较大的人。在所调查的40多个职业当中，猝死比率最高的是影视行业和白领一族，而且多集中在中老年。

医学分析，心理压力过大，对事业、感情等事情“放不下”，长期抑郁是造成猝死的主要原因。但是，在调查当中，那些企业界和政界的风云人物却很少出现猝死这种状况。照常理来说，他们所承受的压力应该更大才对，是什么原因让他们在事业上和身体健康上“双丰收”呢？

微软大帝比尔·盖茨一语道破天机：“我在工作的时候从来不想别的事情，同样，我在休息的时候也从来不去想工作——即使我的办公桌上正放着联邦法院的传票也是如此。”正是在这种一张一弛、松紧有度的生活规律当中，才可以做到真正的面面俱到。

小王和小陈是大学同学，两个人的成绩都非常好，总是轮番占据年级的第一名。小王因为是从农村来的，所以性格上多少有点自卑，也没什么特长，所以一心想在学习上证实自己。为此，小王每天不到5点就起床背外语，晚上还要在自习教室待到接近晚12点才回宿舍。一个寝室的同学们都开玩笑说，小王说梦话的时候都在背书。而小陈则正好相反，除了正式上课和必要的自习时间以外，很少看见他拿着书本。早上起来以后先去操场跑步，每天中午还小睡一会。小陈参加社团活动也很积极，不到一年，就成了院里的学生会副主席。

即使是这样，小王和小陈的成绩还是不相上下。越看小陈成天意气风发、优哉游哉，小王就越着急，就越拼得厉害。眼看小王的脸色越来越苍白，辅导员劝小王多注意休息，甚至强制他保证休息时间。但是小王就是放松不下来，即使是躺在床上脑子里想的也是学业。大二下半年，小王的身体终于承受不住，病倒了，无奈之下，只好办了一年的休学回家休养。

小王的情况就是很明显的“张”得起来却“弛”不下来，人的身体、精神的弹性毕竟是有限度的，如果得不到适当的休息就很容易造成损害。而且，学习工作的成功与否往往并不是看你干了多长时间，而是看你完成了多少工作。疲劳作战往往是没有效率的，像上面例子中的小陈的学习效率明显比小王高，这倒并不一定是小陈的智力比小王好，而是因为小陈劳逸结合，在单位时间内可以集中精神做最多的事情。

现代的社会生活催人奋进，不敢懈怠；在思想意识上也是崇尚勤劳，羞提安闲。但是从健康的角度来看，还得“一张一弛，文武有道”。宋朝的苏东坡就说过“善养身者，使之能逸而能劳”，也就是劳逸结合的意思。大教育家陶行知先生也说过：“适当的休息，是健身的主要秘诀之一，万不可忽略。”适当的休息有益健康，包括良好的休息习惯和充足的睡眠。

过度劳累的危险征兆包括：浑身无力、容易疲倦、头脑不清、思维散乱、头痛、面部疼痛、眼睛疲劳、视力下降、鼻塞眩晕、起立时眼前发黑、耳鸣、咽喉有异物感、胃闷不适、颈肩僵硬、早晨起床有不快感、睡眠不良、手足发凉、手掌发黏、手足麻木感、便秘、心悸气短、容易晕车、坐立不安、心烦意乱。如果上述症状频繁出现，表明你的身体已经严重透支，正在发出警告，这时候我们就应该好好检查一下自己的生活习惯是否张弛有度、科学合理了。

适应环境的最基本要求是生存，而身体是生存之本，健康是一切财富中最为宝贵的财富。因透支自己的身体健康而英年早逝的大有人在。浙江大学的何勇在 36 岁本命年之际，因肝癌晚期病逝；32 岁的中国社科院边疆史地研究中心学者萧亮中在睡梦中与世长辞；清华大学两名中青年教师焦连伟、高文焕相继去世……

再前面一点，著名艺术家陈逸飞、著名企业家王均瑶、著名艺人梅艳芳这些精英英年早逝的原因虽有许多不同，但有一点是相同的，那就是他们不注意呵护自己。如果连自己都不珍惜自己的生命，还有谁来为你珍惜呢？过早地透支自己的身体，最后健康就要亮起红灯，等发现不行了，已经晚了。如果他们挤出点时间自我保健，相信他们会赢得更多的时间，经营他们心爱的事业，他们取得的业绩将更加辉煌，留给后人的财富也将会多得多。

属于每个人的生命只有一次，因此，这些令人扼腕三叹的事实告诉我们，健康比什么都珍贵，没有健康就没有了一切。如果说其他东西是无数个 0 的话，那么健康就是这些 0 前面的 1，没有了这个 1，再多的 0 还是 0！这也是像“洪昭光健康报告会”之类受热捧的原因。

古时候，在一座大山脚下生活着一户人家，家里有两个儿子。一天晚上，父亲对两个儿子说：“我年纪大了，以后可能就干不动活了。明天就由你们两个上山砍柴吧。”两个儿子都很孝顺，马上就点头答应了。

大儿子心想：“我是老大，可不能让弟弟给比了下去，我一定要早点上山，多砍些柴火回来才行。”第二天一大早天还没亮，大儿子就摸黑上山了。而二儿子呢，美美地睡了一大觉，早上起来，吃了东西，然后拿起磨刀石，仔细地把柴刀磨得又亮又锋利，直到日上三竿的时候才收拾停当，上山去了。

到了晚上，两个孩子回到家里，没想到大儿子累得满头大汗，只扛回来了不大一捆柴火。二儿子跟没事的人一样，却砍回来非常大的一捆。老汉叹道：“你们一定要记住，磨刀不误砍柴工啊！”

我们要适应环境，干出一番事业，唯一依靠的武器就是我们的身体和大脑。身体和大脑就好像砍柴的刀一样，休息就是为了好好保养它们，让它们更锋利、更耐用。

在生活节奏越来越快、工作压力越来越大的今天，花点时间自我保健和多做点事业并不矛盾，因为自我保健能使自己身体健康、益寿延年。而健康的体魄、饱满的精神可以提高工作效率；延长自己的寿命，无形中又可以多出许多时间做自己想做的事。

在现实生活中这样的例子比比皆是，有些人整天沉浸于工作，废寝忘食，结果身体处于亚健康状态甚至更糟，整天萎靡不振，工作效率极低，事倍功半；而有些人劳逸结合，时间调配合理，他们并没有整天埋头苦干，可事半功倍，工作业绩照样不差。

适当的休息当然不是懒惰和放纵。不过人的行为也确实需要有节制，即使从健康的角度来说也是如此。

### ◆ 狼的自述

燃烧人生并不是一味地透支，即使是再强壮的身体，也有疲劳的时候，劳逸结合是一种生存的策略。身体是生存的本钱，休息是狂奔的前奏。

# 改变环境，狼的适应能力更强

近朱者赤，近墨者黑。

——傅玄

在草原上，狼的生活区域相对固定，一个狼群往往只活动在某一个特定范围，但是这种情况也不是绝对的。草原沙漠化、人类入侵等各种情况已对狼的生存构成了威胁，当环境恶劣到狼无法生存下去的时候，狼群一般会“转移阵地”，搬迁到一个更适合自己生存的地方去。

在上面我们说过，与整体的环境相比，个人的力量是微不足道的。当环境变化时，我们必须要通过改变自己、消除压力等一系列的手段来适应环境的变化。

但是这并不一定意味着我们的改变就一定能够适应新的环境，这时候我们不妨换一个角度来思考：既然无论如何我们也无法适应当前的环境，那么为什么我们不去换一个环境试一下，说不准就能找到一个适合自己的新环境。

现代交通发达，汽车、火车、飞机、轮船等交通工具十分方便，人们可以毫不费力地来往于世界上的各个角落，自然环境已经无法限制万物之灵的人类了。但是与动物不同，人类还需要适应另外一种环境——社会环境。现代社会竞争激烈，想要平平淡淡地待在一个地方、做同一份工作，安安稳稳地过一辈子几乎是不可能的，我们必须防患于未然，增强自己在不同环境下的适应能力。

比尔·盖茨有段很著名的话：“在微软，你必须时刻调动起你的工作激情，非常灵活地利用一切有利于你发展的机会，这就要求你要有极强的适应能力。在微软公司，我们试图给员工尽可能多不同岗位的工作机会，鼓励有兴趣参与管理的员工，去不同的管理部门工作。为此，如需要在地区或部门之间调换你的工作时，你都应坦然地去面对。”

在微软公司里，员工在同一个工作岗位上大约只能待三个月，一旦员工胜任了现有的工作，那么也该轮到他去试试别的工作了。

这是一种打破常规的做法。事实证明，微软的这项令人难以理解的举措收到了良好的效果，整个公司的工作效率总是保持着一种蒸蒸日上、生机勃勃的局面。

不论是从事什么职业的员工，常年坚持在一个岗位上重复着相同的操作，久而久之，肯定会产生一种单调、厌倦的心理或消极的感觉，进而影响到工作的积极性和创造性，效率低下也就在所难免，使人极容易陷入思想僵化的境地。这些负面特征对员工来说都是极其危险的。

微软公司定期给员工变换环境的做法，一方面打破了以往那种“职位高低，工作好坏”的等级观念，强调的是每一个岗位都非常重要，每一个人都要适应在不同的岗位上进行工作，并经受磨炼；另一方面，更重要的一点是，这项制度强调的是对员工实际工作能力和对环境适应能力的培养。员工在一个岗位工作时间久了以后，容易麻木僵化，看什么都会“习以为常”，反应迟钝，这样一旦换了新环境，就难以适应。

适时地改变一下环境，换一个岗位，可以令员工在新岗位上萌发新的、从未有过的渴望和激情。同时，在新岗位上肯定会遇到些新的问题和挑战，这就要求员工不断地去增加知识、补充营养，提高自己在新环境下的适应能力，员工一直在一种紧张的状态下，工作效率自然就高了许多。

一般来说，人才成长是有其自身的规律的，人的才能增长也有着周期性。一个人一旦在一个不变的环境里待太多的时间，就很容易产生惰性。经常性地更换一下环境，有利于让人保持一种紧张感，保持学习的热度，这样对增强人对环境的适应能力是很有帮助的。

人要适应环境，从另一个角度讲，环境对人也有很大的影响。作为万物之灵的人类并不应该以简单的生存为人生目标，而应该以如何让自己生活得更好为生活目的。俗话说："近朱者赤，近墨者黑。"就是这个道理。环境对人的作用是巨大的，有好的一面，也有不好的一面。

春秋时期齐国的晏子受国君派遣，出使到楚国。当时齐国的国势比较弱，所以楚王想趁此机会好好羞辱一下晏子。一开始他让晏子走城门旁边的小洞，嘲笑晏子身材矮小，面目丑陋，都被晏子用言辞巧妙地驳斥回去了。于是楚王没办法，只好设宴款待晏子。

酒至半酣，大家正高兴的时候，忽然卫士押上来一个囚犯，原来这个囚犯犯的是偷窃罪。楚王问囚犯是什么地方的人，囚犯回答说是齐国的。楚王心里想："这下可以好好地羞辱你一下了。"于是对晏子说："你看你们齐国人多差劲，净出些鸡鸣狗盗之徒。"

面对楚国君臣的嘲笑，晏子不慌不忙地说："我听说，橘子要是生长在淮河以南，就又大又甜，大家都爱吃；但是如果生长在淮河以北，就会变得又小又涩，难以下咽，人们都称其为枳。之所以会出现这种情况，并不是因为种子的不同，而是因为生长的地方不同，环境不一样罢了。人也是一样，我们齐国人生长在齐国，都知书达礼，齐国也是路不拾遗、夜不闭户。但是齐国人到了楚国，就变成了鸡鸣狗盗之徒，大概也是因为环境的原因吧。”晏子的一番话说得楚国君臣哑口无言。

上面说的是晏子使楚的故事，我们在赞叹晏子机敏博学的同时，也了解到了环境对于一个人的影响有多深远。真正有长远眼光的人，总是选择更适合自己发展的环境，俗语中的“良禽择木而栖，贤臣择主而侍”说的就是这个道理。不仅如此，我们在教育孩子的时候，给孩子选择良好的学习环境也十分重要。

中国古代的大思想家孟子，在三岁的时候父亲就患病去世了，只剩下他和母亲相依为命。一开始母亲遵从封建社会的礼节，在孟子父亲的坟墓旁边结庐而居。过了不久，孟子的母亲发现孟子跟着一些墓葬工人学一些墓葬的东西，孟子的母亲不希望孩子学这些，于是就把家搬到了集市旁边。

一段时间过后，孟子的母亲又发现集市周围的商贩很多，孟子经常跟他们混在一起，又开始做起了经商的游戏。孟子的母亲十分失望，于是决定第三次搬家，这次她把家搬到了学宫旁边。

又过了一段时间，孟子的母亲回来发现孟子正跪在地上，十分生气，以为孟子又学了什么不好的东西。后来才知道原来孟子从学宫那里旁听到了一些关于礼节的知识，正在那里练习呢。孟子的母亲十分高兴，省吃俭用把孟子送到了学宫学习。后来孟子成了儒家的代表人物之一，被尊称为“亚圣”。

用我们现在的观点说，行行出状元，但是在当时从事丧葬和商业的人地位是很低的，为了让孩子有一个好的学习和生活环境，孟子的母亲先后搬了三次家，这就是著名的“孟母三迁”的故事。

对环境的适应能力不单纯指对艰苦环境的抵抗力，也在于不断地寻找适合自己生存的最好环境。现在的年轻人参加工作以后，在前几年跳槽的人很多，这也是一种适应环境的自发的行动。一些人后来寻找到了适合自己的工作，也就是找到了适合自己发展的环境平台，再加上自己的努力，最后取得了成功，这些人我们可以说是适应能力强的人；而另外一些越换工作越觉得没意思，一年到头碌碌无为，这样的人对环境缺乏必要的判断分析能力，是缺乏适应能力的一群。

总之，单纯地顺应环境是一种适应，努力地战胜环境也是一种适应，适当地变换环境还是一种适应。这里，最重要的是让环境变成自己个人发展的助力，而不是阻力。

## ◆　狼的自述

家乡固然值得眷恋，但当危险降临、生存受到威胁的时候，我们会选择离开。离开家乡不是逃避，而是为了寻找更美好的明天。

# 第3章

# 强者心态　雄行天下

狼从来都不畏惧死亡，它们为了冲垮马群，不惜牺牲老弱的狼去撕扯外围壮马的肚皮，与马同归于尽。与群狗的争斗中狼也是前仆后继，即便是战斗到最后一只也毫不畏惧。在草原上它们是实实在在的王者，谁与争锋？

## 勇敢是狼的血性

人的能力是多方面的，但是如果你失去了勇敢，所有的能力就都等于零。

——爱默生

一只绵羊被狼杀死以后，灵魂来到天堂，它对上帝抱怨说：“你是如此的不公平，狼跑得那么快，我根本就逃不掉，我下辈子再也不要做绵羊。”上帝说：“好的，我答应你，我将给你强壮的四肢，不但跑得快，而且后腿还能做攻击的武器。”

于是，上帝把绵羊变成了兔子，拥有了强健四肢的兔子十分高兴，在野外蹦蹦跳跳，没想到草丛里忽然跳出一只狼。兔子吓得全身发软，一步也跑不动——结果，又成了狼的美餐。

兔子的灵魂又上了天堂，对上帝抱怨说：“狼有锋利的牙齿和尖锐的爪子，我却什么武器也没有，请您再给我一件有力的武器吧！”

上帝又答应了兔子的要求，把它变成了一只拥有长而锋利犄角的羚羊。羚羊又回到了草原上，一边吃草一边高兴地想："这下好了吧，我跑得比狼快，而且还有比狼的牙和爪子更厉害的武器，再也不用害怕狼了。"

不幸的是，这只羚羊一碰到了狼，马上吓得瘫软在地，连叫的声音都发不出来。狼毫不客气，扑上来把羚羊杀死吃掉了。

羚羊的灵魂又到了天堂，还没开口，上帝就叹息说："你不用再说什么了，就算我把你的全身都变成武器，那也只是一个空壳，里面没有一个勇敢的灵魂，你就永远不是狼的对手。"

很多人都有成就大事业的能力，但是为什么最后取得成功的却总是只有一小部分人，缺乏勇气是其中重要的一个因素。没有了勇气，哪怕你有再多的知识，再强大的体魄，也都无济于事。

勇气不是一时的血气之勇，而是建立在冷静与智慧基础上的。很多人碰到危机的时候，为了显示自己的勇气，往往通过结束自己生命的方式来显示勇气，来表达对命运、对现实的不满。其实，这不仅不是有勇气的表现，反而是最懦弱、最不负责任的表现。试想，若是你连死都不怕了，难道还怕活下去吗？你连死都不怕了，还有什么能让你害怕的？

人生当中，真正的勇气在于勇于面对错误、勇于面对失败和勇于面对现实。做到了这三点，才算是一个真正有勇气的人。

中国有句古话："知耻近乎勇。"意思是说一个人知道和承认自己的过错，是需要很大勇气的。所以知错、认错然后改错，才能成为真正的强者。在现实当中，很多人在犯了错误的时候，都喜欢文过饰非，或者对自己失去信心，干脆破罐子破摔。其实破罐子破摔的这种人和自杀的人没什么区别，都是极端懦弱的表现。

我们拿找工作来说，调查显示，世界上工作 10 年以上的人，换工作或者换公司的次数平均在 5 次左右。其实，工作只是实现人的人生目标的一种手段、一种工具，如果这种工具使用到了不再顺手的时候，你最好的做法就是把这把工具扔掉，去换一把更适合你的——当然，你也要为此付出一定代价，有一小段时间你将空着手没有工作。

现在很多的人，尤其是刚毕业的学生，找工作比较困难，好容易找到一份工作，就算后来发现不适合自己，也硬撑着。这样下去，只能让自己的心理压力更重，你既然有勇气忍受一份不适合你的工作，为什么没勇气找一份适合你的工作？

丹尼斯曾在一家大公司工作，担任地区副总裁的行政助理。

公司里大多数员工平日都是一副西装笔挺的有钱人形象，只有法国人肯特例外，他好像从来都不修边幅。肯特看上去总是像刚从码头上干完活儿回来一样。要不是亲眼看见他摆弄公司的电脑，你肯定认为他是在加油站或快餐店上班，是那种靠通俗歌曲和啤酒打发日子的家伙。

肯特也认为自己属于那种其貌不扬的精英分子类型，尽管他与其他员工穿着一样的蓝条纹制服，可看上去就是不像样子。但肯特所具有的洞察力却是同事丹尼斯所少见的。

有一次他突然对丹尼斯说："你不该待在这儿，你跟这儿格格不入。"

"你这是什么意思？"丹尼斯问，虽然有点生气，但他的话却引起了丹尼斯极大的兴趣。丹尼斯想有可能的话自己也会向他提出同样的问题。

"你懂我的意思，"他边点雪茄边说，"你有开拓能力，你喜欢与人打交道，干吗非在这鬼地方浪费你的时间和天才，整天写什么部门材料、预算报告呢？"

丹尼斯永远忘不了肯特这些富有见地的话，正是这些话使丹尼斯从麻木不仁的状态中清醒过来。

从那时起，丹尼斯的心里就不断重复着这样的想法：我正在不属于自己的位置上从事着不适合自己的工作。

后来，丹尼斯采纳肯特的建议辞去了公司的工作，开始做一些更有意义的尝试。

在这之前，丹尼斯在这个公司里无用武之地，职业生涯陷入了一种沉默的绝望之中，直到像人们常说的那样，对个人的职业生涯感到厌倦，直到连厌倦都已厌倦。

丹尼斯过去的窘境也许正是现实生活中一些人的写照，或许你也正在从事一份你不喜欢的工作。

从那家公司跳出来以后，丹尼斯创办了自己的公司，取得了过去一直想要但又无法想象的成功。

也许大多数人只是把目前的工作当作谋生的手段，而勉强从事着这份并不适合自己的工作。其实，对于一个人来说，这是最大的错误。肯特让丹尼斯明白了自己所犯的错误。丹尼斯终于从麻木不仁的状态中清醒过来，重新去尝试新的机会，并且获得了巨大的成功。这就是“知耻近乎勇”——勇于面对错误的勇气。

在事业生涯的道路上，如果你缺乏勇气和自信；如果你不敢面对现实和机会，那成功只能成为你遥不可及的梦想了。

世界上含着金钥匙出生的人毕竟是少数，大多数人还是要面对与理想差距甚远的现实。既然现实无法改变，那么我们就只有勇敢地面对。

打工女王——吴士宏，看起来普普通通，但她挑战自卑的勇气与信心却令所有人震惊。她刚到 IBM 工作的时候，只是一个临时的清洁人员，很多正式员工都不把她放在眼里。

现实就是如此无情，怎么办？是辞掉工作加入失业大军，还是勇敢面对现实去寻找新的机会？吴士宏毫不犹豫地选择了后者。

有一次她购买办公用品回公司，门卫把衣着寒酸、推着平板车的她拒之门外，口气生硬地要她拿出外企工作证。偏偏那天她忘了带，于是就因这一张薄纸片儿被晾在了门口。门卫冷酷的姿态，来往人们异样的目光，慢慢烧毁了她的自足感，耻辱与愤怒一点点燃烧。“这种日子不会久的，我不允许自己再被拦在自己公司门口。”敏感加上好强，她从此更努力更谨慎。

她开始利用一切机会充实自我，每天最早到公司，最迟离开，将别人任意丢掉的时间都花在学习和工作上，很快她就脱颖而出，在同一批聘用者中她第一个做了业务代表。接着她又依靠超人的实力成为第一批本土经理、第一批美国本部作战略研究的人。最后，她终于圆了美梦，成为公司华南区的总经理。

人们普遍存在一种错误的思想：勇气是天生的，有些人生来勇敢，有些人则生来懦弱，而且不可能改变。事实上，勇气大部分靠的是后天的锻炼和培养。像恐高症的克服，就是个人勇气的自我培养过程。不仅仅个人的勇气可以培养，我们还可以激发别人的勇气，来完成共同的事业。

韩信是我国汉朝的著名军事家，历来有“韩信点兵，多多益善”之说，在他的一生当中可以说是战无不胜、攻无不取，被后人誉为“兵圣”。韩信之所以有如此大的成就，不仅在于他卓越的军事才能，更在于他懂得如何激发战士的勇气，让一个人发挥出几个乃至十几个人的战斗力来。

有一次，韩信指挥的军队被数倍的敌军精锐追击，撤退到一条大河岸边，河面只有一架窄窄的浮桥，岸边的船只也少得可怜，大家以为自己就要完蛋了，恐惧的情绪在军队中蔓延。

副官对韩信说："将军，您还是先撤吧，敌人很快就到了，这么少的工具，根本就撤不走几个人。"

韩信思考着，终于果断地说："下令拆断浮桥，烧毁所有大小船只，违令者斩！"

尽管所有人都认为韩信疯了，但是军令如山，大家眼睁睁地看着唯一的逃生希望彻底消失。韩信把所有部队集合在一起，大声地问："你们想死还是想活？"大家异口同声地说："想活。"

韩信接着喊："那么现在我们有两条路可走，一是逃跑，被敌人逼进河里，全军覆没；另外一个就是大家拿出勇气来，背水一战，一起杀出一条活路来！你们说，是逃，还是战？"

"战！"战士们豪迈的声音响彻四野，敌人听得心惊胆战，结果韩信以微弱的兵力战胜了强大的敌军，也留下了"背水一战"的千古佳话。

上千年来，无数的人用背水一战的方法来激发自己或者部下的勇气，取得了无数个胜利。其实，激发勇气的方法有很多，信仰、口号、责任心等等都可以激发人的勇气。觉得自己还不够勇敢的朋友，完全没有必要气馁，只要我们有信心，每个人都可以成为勇敢的人。

你失去了金钱，那你失去的只是一点点；你失去了工作，那你失去了很多；如果你失去了勇气，那么你就全部都失去了！让我们像狼一样勇敢地面对今后的每一天！

## ◆ 狼的自述

在草原上，即使我们什么都没有了，我们也要有勇气。勇气是我们最大的财富，有了勇气就可以得到一切。

# 狼从来不知道什么叫失败

人生最大的光荣，不在于永不失败，而在于能屡仆屡起。

——哥尔斯密

狼的勇敢不仅仅表现在面对危险和环境的考验上，更表现在对失败的蔑视和百折不挠的精神上。狼知道，生活从来不会一帆风顺，“不如意事十之八九”表明不顺、挫折及失败才是生活的常态。生活如果太顺利，将来回忆起来时都缺乏色彩。真正的勇士需要勇敢地面对风雨中的一切疼痛、挫折与失败。比起对于成功的渴望，多少次失败都算不了什么。真正勇敢的人和狼一样，从来不会被失败吓倒，而是把失败当成是成功路上的一种必然，是迈向辉煌的一块垫脚石。

实际情况是，往往对失败越充满恐惧的人，越是会遭遇到同样的失败；而越是蔑视失败，能从失败中吸取经验，马上勇敢站起来的人，越是能更快地走向成功。

绝大多数时候，那些看起来不可能完成的事情，或者以为结果会很糟糕的事情，在你真正动手去做以后，其结果往往却是正面积极的。也就是说当你不再害怕、不再犹豫之后，失败也就开始害怕了你，而成功却会开始青睐你——失败害怕勇敢尝试的人！

“我一直都在寻找那些拥有无限能力，并相信没有什么是做不到的人。”亨利·福特的这句话可以作为我们这个标题的小小注解。因为只有这样的人，才会把握住最有利的机会，并带领人们获得成功。勇敢的人也会遭遇失败，勇敢的人也并非时时顺利，但是敢于行动的人最终将成功。因为做得越多，成功的机会也就越多，失败也就越远。

莫里·威尔斯，在 1962 年，打破了联合会伟大前辈的偷垒记录，被授予了联合会最有价值球员的称号。

而在他棒球生涯的前几年，所有人都认为他是一个根本不可能有大成就的人。

一个似乎是要永远待在小竞赛联合会中，注定只能在职业生涯中平平庸庸的球员变成了一位超级明星。这所有的一切都是因为在任何梦想与任务面前，都勇敢地尝试、坚持，在一年又一年、一次又一次的遭遇失败之后继续努力，最终获得成功。当机会来临时，当有机会飞过的时候，勇敢且坚持尝试的人已经准备好了，并抓住了它。

“幸运就是机会遇到了准备。”而准备的前提是你首先成为一个经历过失败仍旧可以勇敢前进的人。在公司中，谁是勇敢尝试的员工，谁就能为公司创造巨大的价值，也就能给自己以最高的价值体现。相反，那些越是害怕失败、越是犹豫的人，就越容易遭遇到真正的惨败。因为勇敢尝试的员工会在实施项目的过程中不断总结自己，从而获得越来越多的经验和机会。而懦弱退却的员工却总是越失败越害怕，最终完全丧失勇气。一点儿一点儿地不断成功可以鼓起人们更大的勇气与自信，而这一点儿一点儿地不断成功只有勇敢尝试的人才可以得到。

当然，说勇敢尝试并不是让人鲁莽行事。把鲁莽和勇敢画上等号的人是愚蠢的。而是让你明白，要想获得成就与业绩，只有先抛开猜测、犹豫，开始行动起来，在行动中获得越来越多，才能获得最大限度的成功。

许多失败，其实如果肯再多坚持一分钟，或肯再多付出一次努力，是可以转化为成功的。但是往往就是因为一时的胆怯而放弃了，结果永远地失去了成功的机会。

一个人野心勃勃地跑到国外经商，希望能干一番大事业，但是不幸的是，一连几次他都失败了，血本无归。甚至连回国的机票都买不起了。万念俱灰之下，他想到了自杀。

正当他绝望地走在异乡的大街上的时候，一个穿着旱冰鞋的小男孩在人群中灵巧地穿梭，看起来像一个轻巧的精灵，三两下就来到了他的跟前。

“太厉害了，”他不由赞叹道，“你是怎样学会溜旱冰的呢？”

那孩子回答道：“哦，这很简单，跌倒了爬起来，爬起来再跌倒，反复多次就学会了。”

孩子说完以后就轻快地滑着跑开了，这个刚才还充满绝望的人却如醍醐灌顶一样站在那里。

回到住处，商人一扫原来的颓废，用一种饱满的情绪重新投入到了工作中，因为他已经掌握了成功的唯一诀窍：失败了，再勇敢地站起来，就这么简单。

几乎所有的人都明白失败是成功之母的道理，但是到了现实的生活当中，却很少有人能做到正视这一点。我们可以肯定地说，失败是成功之母这句话不一定适用于每一个人，失败之所以是成功的一部分，主要是因为失败后人们所总结的经验教训可以为最后的成功带来帮助。但是这种宝贵的经验，只有那些勇敢的不惧怕失败的人才能获得，因为只有他们才有可能静下心来总结经验，而那些害怕失败的人都躲在角落里瑟瑟发抖呢！

在某公司招聘会上，应者云集。其中多为高学历、多证书、有相关工作经验的人。

经过三轮淘汰，还有20个应聘者，最终将留用9个。因此，第四轮总裁亲自面试，将会出现十分“残酷”的场面。

奇怪的是，面试考场出现了21个考生。总裁问：“谁不是应聘的？”坐在最后一排最右边的一个男子站起来：“先生，我第一轮就被淘汰了，但我想参加一下面试。”

在场的人都笑了，包括站在门口闲看的老头儿。总裁饶有兴趣地问：“你第一关都过不了，还来这儿有什么意义呢？”男子说：“您需要的是能为公司带来利益的人才，只要我可以，我觉得即使是我第一轮就被淘汰，我也应该有一个和总裁对话的机会。”

大家又一次笑得很开心，觉得此人不是太狂妄，就是脑子有问题。男子说：“我只有一个本科学历，一个中级职称，但我有10年工作经验，曾在12家公司任过职……”总裁打断他：“你的学历、职称都不算高，工作10年倒是很不错，但先后跳槽12家公司，太令人吃惊了。我不欣赏。”

男子站起身：“先生，我没有跳，而是那12家公司先后倒闭了。”在场的人第三次笑了。一个考生说：“你还真是个倒霉蛋！”男子也笑了：“相反，我认为这就是我的财富！我不倒霉，我只有31岁。”

这时，站在门口的老头儿走进来，给总裁倒茶。男子继续说：“我很了解那12家公司，我曾与大伙儿努力挽救那些公司，虽然不成功，但我从那些公司的错误与失败中学到了许多东西，很多人只是追求成功的经验，而我，更有经验避免错误与失败！”

男子离开座位，一边转身一边说：“我深知，成功的经验大抵相似，而失败的原因各有不同。与其用10年学习成功经验，不如用同样的时间研究错误与失败；别人的成功经历很难成为我们的财富，但别人的失败可以是！”

男子就要出门了，忽然又回过头：“这10年经历的12家公司，培养、锻炼了我对人、对事、对未来的敏锐洞察力，举个小例子吧——真正的考官，不是您，而是这位倒茶的老人。”

全场20个考生哗然，惊愕地盯着倒茶的老头儿。那老头儿笑了：

“很好！你第一个被录取了，因为我急于想知道——我的表演为何失败了？”

试想上面例子中的男子如果在第一次面试失败以后，就丧气地回家，那么一次大好的机会就白白地浪费了。

我们总是说“失败是成功之母”，但是对于那些失败了却不知道总结经验、只是浑浑噩噩地继续生活的人，即使是失败了一万次也是不可能取得成功的。在失败中总结经验，在摸索中寻找机会，只有这样的失败，才是值得的，有价值的。

### ◆ 狼的自述

在狼的眼睛里，永远看不到失败的气馁。因为它们知道，不管经历过多少次失败，最后的成功一定是属于它们的。所以狼永远是草原上的王者。

## 狼的天条是做、做、做

行动，只有行动，才能决定价值。

——约翰·菲希特

自卑和恐惧是成功的毒药，它往往把人的成功欲望扼杀在摇篮当中。在狼的字典里永远没有恐惧两个字，一旦决定了一件事情，它们就会义无反顾地去做。做，只有去做；做，成了狼的信仰。正是这种蔑视恐惧的勇气，让它们成为草原上的真正强者。

去做了，至少还有成功的希望，如果你站在原地不动，那么你就注定是一个失败者。

一个法国女孩，不幸患上了癌症，她最大的愿望就是能够亲自爬上世界最高峰——珠穆朗玛峰。通过多方联系，终于有支登山队答应带她一起出发。

不幸的是，在登山途中他们遭遇到了罕见的暴风雪，恶劣的天气不仅把他们困在了半山腰上，也阻断了他们和外界的通信，而且随时可能有致命的雪崩发生。在登山队小小的帐篷里面，大家一起商议如何应付这种情况。

女孩吓得蜷缩在一角，向来生活安逸的她什么时候见过这么大的阵势？恐惧已经让她说不出话来。队员们的意见也不一致，有主张原地守候等待救援的，有主张派人出去寻找帮助的，队长只是默默地听着大家的意见。

最后，队长大声地说："我们不可以待在这里，待在这里虽然暂时安全，不过这种天气情况下救援来的可能性太小了，一旦给养消耗光，我们就一点生存的希望都没有了，我们必须出去自己找路。危险到来的时候，行动是唯一的出路，我们只有靠自己！"

最后一行人轮流背着小姑娘，在暴风雪中搏斗了整整8个小时，终于找到了一家补给站，逃脱了全军覆灭的厄运。

几天以后，天气转好，小姑娘又和大家一起出发，这次终于顺利地登上了峰顶。经过这次刺激的登山之旅，小姑娘彻底改变了以往的生活态度。病魔带来的恐惧对她来说已经不算什么了，她积极配合医生的治疗，两年以后终于彻底战胜了病魔。

很多年过去了，小姑娘甚至已经不记得当年把她从山上背下来的那个队长的名字了，但是那句话却永远深深地刻在她的脑海中："危险到来的时候，行动是唯一的出路，我们只有靠自己！"

她不仅用它来鼓励自己，也经常用来劝勉别人："恐惧其实是一个很容易战胜的东西，关键的是你要勇敢地往前走一步。"

如何克服恐惧感？最有效的办法就是：采取行动。或者说，勇敢地迈出实践的步子。在奋斗的路上，你可能会遇到许多令你担心、烦恼、胆怯、恐惧的事。例如：你可能会为担心自己的店铺濒临倒闭而心烦意乱；会因为在某项生意中损失惨重而万念俱灰；会担心失去一位重要客户而忧心忡忡；会害怕进行一场棘手的谈判而畏缩不前。……

这种心理状态，即恐惧感，将是你成功的头号敌人。它会阻止你迈出决定性的一步，它也会折磨你的身心，使你生病、缩短寿命。行动可以治愈恐惧，而犹豫、拖延则会助长恐惧。比如，你越是对一场艰难的谈判发怵，你就越没有勇气去谈判，拖延的时间越长，恐惧就会越厉害。

在这个世界上，没有不可能做不成的事情，主要是看你去不去做。如果什么事情都畏首畏尾，这样的人再有才华也成就不了大事。除了恐惧以外，让人停滞不前的还有一种负面情绪，那就是自卑。

影响人生成功的两大劲敌，一个是恐惧，一个是自卑。是恐惧束缚了我们的行动，是自卑抑制了我们的才华。它们使我们失去生命的光彩，在自我否定的痛苦中走向平庸。

战胜恐惧，你将无所不能；超越自卑，你将成功快乐。树立自信，是每个人走向成功之路的必修课。

很多历经磨难后获得成功的人都说过类似的话："你相信它，你才会看见它，看见它你才能去追求它，追求它你才能得到它。"

意思也就是说，你必须有足够的信心，相信自己有能力实现目标，然后你才会用实际行动去证明你的能力，这样你就能获得最后的胜利。

怎样克服自卑心理呢？

全球最大的零售企业沃尔玛公司总裁沃尔顿先生，在参加加利福尼亚大学校庆发表演讲时，有名学生朝他逐步走近，非常诚恳地请求要与沃尔顿单独谈谈。

会议结束后，在过道中那位学生和沃尔顿先进行了短暂的交谈，学生担忧地说："我准备毕业后做一番大事业，如果成功的话，将对我产生无比的意义；但是我担心，如果失败了的话，我就什么也没有了，很可能因此一蹶不振。"

听了这番话后，沃尔顿先是尽可能地安抚他，接着委婉地对他说：

"并非每件事都能达到预期的理想结果。成功固然美好，但即使失败，明天的风仍将继续吹着，希望依然存在。"

然而那名学生依旧愁眉不展："但是，我始终无法确信自己是否能真的会顺利完成一件事。一想到可能会失败，我已相当泄气了。我想明白自己该如何去做，才能让自己产生自信和肯定。"

沃尔顿对这名学生做了这样的回答："我们必须用科学的方法来探究这种生活病态的原因，但这要花费许多时间。现在我送给你一个简单的办法，这里有一张卡片，上面有我特意为你写上去的一句话，从现在起，你念着这句话回家，以后每天早晨起床后先大声读三遍，中午和傍晚也要这般去朗读，坚持一个月以后你再看看效果如何吧。"

说完，沃尔顿先生把写好了字的卡片递给了那名学生。那名学生半信半疑地接过卡片，勉强答应照吩咐去做。

望着那位学生逐渐消失在夜幕中的身影，沃尔顿后来回忆说："虽然那身影看来还有些悲伤的意味，但是通过他那昂然离去的姿态，仿佛正在暗示着信仰已经在他的心中萌芽。"

你想知道沃尔顿先生在那张卡片上写的究竟是什么吗？他是这样写的："只有做不做，没有能不能，只要我去做了，终有一天必定成功。"

畏惧与自卑在一个人的成功过程中构筑的障碍会使人成为弱者，所以不要受到他人威信的影响而试图去效仿他人，如果想克服畏惧与自卑，必须要拥有属于自己的积极心态。“凡事我能行”，这就是最好的良方。

虽然如此，但是我们不可能完全消除对未来的担忧，因为恐惧是人类的正常情绪之一，一方面我们要在做一件事情之前尽可能地消除恐惧心理，另一方面，我们也可以在行动中战胜恐惧、忘记恐惧。

记者在采访一位抗日英雄的时候问道：“当年在战场上就不感觉到害怕吗？”这位英雄说：“怕，尤其是在打仗之前，想想自己以前的战友一个个死的时候的样子，腿肚子都抽筋。但是仗还是要打啊，不过上了战场以后就不害怕了。尤其是在冲锋的时候，脑子里只想着向前进，反倒不害怕了。”

自卑心理也是如此，一家残疾人学校的校长告诉我们，克服孩子自卑心理的最好良药就是把他推到前台上去，让他参加演讲、表演节目、接待客人。第一次的时候往往比较困难，但是在“做”的过程中就会很快把恐惧和自卑抛在一边。

郑雪君，是一个身高1.50米、体重不到40公斤的中年女人。1993年的2月至5月，对于郑雪君来说，是一段记忆无法磨灭的日子。当时，33岁的她，来到刚刚创办的《温州晚报》当记者。这之前，她对于新闻完全是个门外汉，所凭借的只是自幼对于文字工作的热爱。

面对连专业的年轻人都可能却步的工作，她没有任何犹豫，直接选择了在“做”中充实自己。她就是这么一个女人，好像永远都有使不完的劲，清瘦的脸上永远闪烁着欢乐。面对所有看似不可能的事情，她只有一个信念：没有能不能，只有做不做。

刚开始，郑雪君在要闻版跑社会新闻，她骑着一辆10元钱买来的旧自行车，一天走访七八个单位，第一个月她就跑遍了温州市区的 17 个街道。但是因为新闻性不强，她一天写七八篇稿件就被枪毙七八篇。有时候，她早上心花怒放地发现一篇稿子上了版，但下午一看稿子又被拉下来了。当时的要闻部主任还很“残酷”地告诉她：“你看我日历上记的都是密密麻麻的名字，都是想要到晚报来当记者的报名者。你如果还发表不了稿件，就算你每天早上来扫地泡茶也没用，只能解聘。”

那个时候，郑雪君急得连做梦都在写稿，而梦中稿子又被拿掉了。因为着急，有一次她三天三夜没有回家，稿子写得太累了，就用军大衣一裹，蜷缩在报社的办公桌上睡着了。三个月试用期的最后一个星期，奇迹发生了——每天的报纸上，都能看见署名“郑雪君”的稿件了。

对于记者来说，苦点累点不算什么，真正难的，就是面临“不可能的任务”。但对于郑雪君来说，这个世界上就没有不可能的事情，关键就在于你做不做。

郑雪君当记者的第一年，当时的国务委员、全国计生委主任彭珮云来温州考察，报社领导派她到景山宾馆采访。但得到的回复是“不接受任何新闻单位的专访”。她想，还是不顾一切地进去再说。但她“冲”了三次都被警卫人员挡了出来。她便气鼓鼓地和警卫人员争辩，辩着辩着就哭了。这事很快传到了彭珮云那里，彭珮云便让全国计生委副主任出来接受了她的采访。

她曾经创造过年见报稿 700 多篇的纪录，其中最多的一个月发稿 63 篇。她曾经一天工作 20 来个小时，连续三天不回家，困了就在办公室的沙发里打个盹。

2002 年记者节，她荣获省首届飘萍新闻奖（人物）。之后，她又以她在温州新闻界著名的拼命三郎式的精神，获得了全国五一劳动奖章。郑雪君正是靠着这种“只有做不做，没有能不能”的精神，终于实现了自己的人生理想。

“大禹治水”“精卫填海”“夸父追日”“愚公移山”，这些看起来都是不可能做到的事情，但是只要有勇气、有信心，克服恐惧和自卑心理，肯迈出关键的第一步，勇敢地去做，就一定能干出一番新天地来！

### ◆ 狼的自述

有时候，靠单纯的判断并不能确定成功的几率。与其在等待中浪费青春，不如在追求中燃烧生命。

## 不走寻常路

无形的枷锁比有形的铁链坚固得多，不打碎它，我们就永远也别想真正成功。

——罗伯斯庇尔

世俗是约束人类发展的最沉重的枷锁。人和狼的最大差别不在于智力或力量，而是——勇气，是挣脱世俗束缚的勇气，是特立独行的勇气，是突破常规挑战庸常的能量，是不走寻常路的心态。在狼的眼睛里，只有将来，只有生存的欲望，所谓的世俗常规在它们看来一文不值，而人则不然。

世界上最需要勇气的是什么地方？

1999年，北京一所高校的12层楼上，一个身影跃下，结束了自己年轻的生命。死者是一位品学兼优的女研究生。在她留下的遗书上有这样一段话：“我有勇气去面对连续三次高考失利的打击，我有勇气面对乙肝病毒携带多年的折磨，我有勇气面对家庭贫困给我在这个繁华城市里带来的困难，但是我没有勇气去挣脱世俗的束缚。原谅我，我原来竟然是一个如此懦弱的人。”

原来，死者的家乡在一个偏远的农村，从小就和邻居家的一个孩子定了“娃娃亲”，上大学以后，她和学校里的一个男孩子相恋了。但是家里所有的人都一直在催促她回去成婚。世俗的传统压力，终于夺去了这个不堪重负的女孩子的生命。

事实上，真的和那个女孩子在遗书上写的一样，世界上最需要勇气去面对的困难，往往不是肉体上的，也不是物质上的，而是世俗的压力。是什么东西对社会的发展、科技的进步的阻力最大？是传统观念的束缚。我国的改革开放走到了今天，取得的成就有目共睹，但是在改革的初期还是要小心翼翼地一小步一小步地走，这就足以看出传统观念的强大惯性和力量。

历史已经证明，一个人只要能真正冲破世俗的束缚，那他一定就是一个勇敢的人。

伟大的天文学家、日心学说的创立人哥白尼诞生在波兰托伦城的一个普通商人的家庭。1491 年，他到当时波兰首都克拉科夫大学学习天文和数学。1496 年，他遵从舅父乌卡斯的建议，到意大利去学“教会法”。但是，在意大利期间，他一刻也没有停止对天文学的研究，他进行了无数次天文观察和测量，搜集了大量的天文资料。1506 年，哥白尼回到祖国，先是住在他舅父乌卡斯主教的官邸——赫尔斯堡，整理他从意大利搜集到的天文资料，写成《试论天体运行的假说》，这实际是“日心说”的提纲。

在弗赖堡，他买下一座箭楼，建立了一座小小的天文台。无论盛夏或严冬，他都用自制的粗劣的仪器，不分昼夜地观察天文。他不顾教会的迫害，不怕奸细、密探的监视，甚至在 1519 年波兰和条顿骑士团发生战争、城堡周围到处是血和火的情况下，哥白尼仍然每天登上角楼，坚持他的天文观测工作。他就是这样以毕生的精力，执着地对天体进行观测，写成了不朽的巨著——《天体运行论》。这是一部划时代的著作，它的发表，开启了人类宇宙观的新纪元，恩格斯对此称之为自然科学从宗教神学中解放出来的“独立宣言”。

哥白尼用了“将近四个九年的时间”去测算、校核、修订他的学说。他曾写过一篇《要释》，简要地介绍他的学说。这篇短文曾在他的友人中间手抄流传。但是，他迟迟不愿将他的主要著作——《天体运行论》公开出版。因为，他很了解，他的书一经刊布，便会引起各方面的攻击。批判可能从两种人那里来：一种人是顽固的哲学家，他们坚持亚里士多德、托勒密的说法，把地球当作宇宙的固定的中心；另一种人是教士，他们会说日心说是离经叛道的异端邪说，因为《圣经》上明白指出大地是静止不动的。当哥白尼终于听从朋友们的劝告，将他的手稿送去出版时，他想出一个办法，在书的序中写明将他的著作大胆地献给教皇保罗三世。他认为，在这位比较开明的教皇的庇护下，《天体运行论》也许可以问世。

1542年秋，哥白尼因中风已陷入半身不遂的状态，到1543年初已临近死亡。延至5月24日，当一本印好的《天体运行论》送到他的病榻旁的时候，已是他弥留的时刻了。

哥白尼是谨慎的，但是这却丝毫不影响他勇敢的光辉，他在人类历史上写下了辉煌的一笔。这浓墨重彩的一笔，是依靠他的才华和他与世俗教会势力的勇敢斗争共同完成的。

勇气使得人们对那些想当然的事提出质疑，进行探索，并接受挑战。勇气是一种反向的大脑活动，它使人们敢于接受那些可能被公众认为是正确的东西的对立面。如果某样东西初看起来似乎很荒谬，你不要放弃而不再去想它；相反，你要继续思考它，并且提醒自己，思考这类想法需要勇气，你甚至还需要更多的勇气去抵制你的新想法所引起的批评。

继哥白尼之后，天文物理学史上又出现了一位伟大的斗士，他就是布鲁诺。

布鲁诺信奉哥白尼学说，所以成了宗教的叛逆，被指控为异教徒并革除了他的教籍。公元 1576 年，年仅 28 岁的布鲁诺不得不逃出修道院，并且出国长期漂流在瑞士、法国、英国和德国等国家。他四海为家，在日内瓦、图卢兹、巴黎、伦敦、维登堡和其他许多城市都居住过。尽管如此，布鲁诺仍然始终不渝地宣传科学真理。他到处做报告、写文章，还时常出席一些大学的辩论会，用他的笔和舌毫无畏惧地积极颂扬哥白尼学说，无情地抨击官方经院哲学的陈腐教条。

布鲁诺的专业不是天文学，也不是数学，但他却以超人的预见大大丰富和发展了哥白尼学说。他在《论无限、宇宙及世界》这本书中，提出了宇宙无限的思想，他认为宇宙是统一的、物质的、无限的和永恒的。在太阳系以外还有无以数计的天体世界。人类所看到的只是无限宇宙中极为渺小的一部分，地球只不过是无限宇宙中一粒小小的尘埃。

布鲁诺进而指出，千千万万颗恒星都是如同太阳那样巨大而炽热的星辰，这些星辰都以巨大的速度向四面八方疾驰不息。它们的周围也有许多像我们地球这样的行星，行星周围又有许多卫星。生命不仅在我们的地球上有，也可能存在于那些人们看不到的遥远的行星上。

布鲁诺以勇敢的一击，将束缚人们思想达几千年之久的“球壳”捣得粉碎。布鲁诺的卓越思想使与他同时代的人感到茫然，他们为之惊愕！一般人认为布鲁诺的思想简直是“骇人听闻”。甚至连那个时代被尊为“天空立法者”的天文学家开普勒也无法接受，开普勒在阅读布鲁诺的著作时感到一阵阵头晕目眩！

布鲁诺在天主教会的眼里，是极端有害的“异端”和十恶不赦的敌人。他们施展狡诈的阴谋诡计，收买布鲁诺的朋友，将布鲁诺诱骗回国，并于1592年5月23日逮捕了他，把他囚禁在宗教裁判所的监狱里，接连不断地审讯和折磨竟达8年之久！

由于布鲁诺是一位声望很高的学者，所以天主教会企图迫使他当众悔悟，但他们万万没有想到，一切恐吓威胁利诱都丝毫没有动摇布鲁诺相信真理的信念。

天主教会的人绝望了，他们凶相毕露，建议当局将布鲁诺活活烧死。布鲁诺似乎早已料到，当他听完宣判后，面不改色地对这伙凶残的刽子手轻蔑地说：“你们宣读判决时的恐惧心理，比我走向火堆还要大得多。”1600年2月17日，布鲁诺在罗马的百花广场上英勇就义。

由于布鲁诺不遗余力地大力宣传，哥白尼学说传遍了整个欧洲，传遍了整个世界。传统的束缚再也没能阻止真理的传播，可以说哥白尼和布鲁诺一起支撑起了近代天文学的整个天空！

在科技文明高度昌明的今天，像哥白尼和布鲁诺的悲剧已经不容易再发生了，但是世俗的束缚还是存在于我们生活的每一个角落。比如现在，人口过度膨胀的问题已经成了整个世界亟待解决的问题，计划生育已经成为我国的基本国策，但是“养儿防老”这样陈腐的传统观念还在某些地区盛行；男女平等作为人类文明的基本标志，“男尊女卑”的传统观念却还占有很大的市场；应试教育的弊端被揭露得越来越多，素质教育才是孩子成材的真正正确方法，可很多父母还是把孩子束缚在“笼子”里，用填鸭式的教育造就出一批又一批没有丝毫活力和创意的“学习机器”。

是人们不懂这其中的道理吗？不是。而是在强大的传统惯性面前，很少有人有勇气去反抗，很少有人愿意为打破传统去冒风险，不能不说这是很可悲的事情。

但是我们也欣喜地看到，现在已经有越来越多的勇敢者突破传统观念的束缚，不断地取得新的成就。

王总在政府部门工作了很多年，改革开放以后，已经退休的他被一家国有企业邀请担任分管人事的副总经理。

虽然从年纪上看，参加过解放战争的王总可以算得上是“老一辈”的人了，但是他并没有那种陈腐的观念。在人事工作上，大力提倡改革。改变以前的靠资历任用干部的做法，采取了竞选、评比、竞争上岗等新的先进措施。

王总的做法虽然获得了大多数员工的好评，但也遭到了一些传统主义者的反对，尤其是那些资历老的人，更是反应激烈。在王总上任的前三个月几乎天天都有人上门说情或者谩骂，有些人甚至在他家门口的墙上写标语。

王总的子女都劝说他：“您都那么大年纪的人了，生活也很好，这么闹腾图个啥啊，还不如在家安度晚年算了。”

王总严肃地说：“人要是连这点勇气都没有的话，那活着还有什么意思？”

几个月后，改革的效果明显，厂子的效益提高了一倍多，那些流言蜚语也就跟着销声匿迹了。

“走自己的路，让别人说去吧！”世俗的束缚虽然强大，但是如果我们昂起头，坚持走自己想走的路，那么这种束缚就只能是纸老虎，再也无法阻止我们前进的脚步。

### ◆ 狼的自述

没有固定的规则就是永恒的规则。自然界变化无常，人世间瞬息万端，只有不拘泥于过去，才能活得更好。

## 勇气+行动=猎物

每天都尝试去做一点儿你原本不喜欢的事吧，就当成是对自己的磨炼。

——约翰·马克斯韦尔

狐狸和狼是朋友，它总喜欢在狼面前吹嘘自己的狩猎技巧："狩猎最重要的是讲究策略，要有针对性，这样才能以少胜多，以弱胜强。"一见面，狐狸就开始滔滔不绝。

一天，风和日丽，它俩决定去狩猎，中午见面的时候，狼拖了一头又大又肥的山羊，而狐狸则空手而归。

"今天真背，一只猎物也没看见。"狐狸有点脸红地说。这时候忽然草丛中蹿出一只兔子，狐狸眼睛一亮："要想抓这个兔子，首先要注意断了它的后路。"没等狐狸说完，狼就已经冲了过去，一口咬断了兔子的喉咙。狼轻蔑地说："如果只是空想而没勇气去做的话，那么你就只能等着被饿死。"

世界上有两种人：空想家和行动者。空想家们善于谈论、想象、渴望，甚至设想去做大事情；而行动者则是去做！无数事实证明，想一万件事情也不如去做好一件事情。我们都不乏渴望成功的想象力，但是很多人却缺乏追求成功的勇气，也就是缺乏实干精神。

那么，如果你仍然还只是一位空想家，你怎样才能变成一位行动者呢？这一转变，究竟又是什么？又如何才能发生呢？

首先，让我们来仔细看看，什么是空想家与行动者，两者又有怎样的区别。

行动者比空想家做得成功，是因为，行动者一贯采取持久的、有目的的行动，而空想家很少去着手行动，或是刚开始行动便很快懈怠了。行动者具备有目的地改变生活的能力。他们能够完成非凡的事业，不论是开创一家自己的公司，写作一本书，竞选政府官员，还是参加马拉松比赛，以及其他事业。而与此形成鲜明对比的是，空想家只会站到一边，仅仅是梦想过这些而已。

是什么阻碍了空想家成就事业？难道只是因为对“开始”的畏惧？或是对失败的担忧？或者，是因为空想家不够聪明，缺乏智慧，能力欠缺，还是运气不佳？而究竟又是什么使得行动者能够去做，从而成就了令人满意的事业，而空想家却注定了一个又一个的失败？答案很简单，不过，也很深奥。

答案只有一个，就是加强自己的自制力，拿出行动的勇气来。从空想家转变为行动者的第一步至关重要：“每天都尝试去做一点儿你原本不喜欢的事。”乍一看，这一建议似乎不合逻辑，不仅有点儿冒傻气，还带着点儿自虐的意味。然而，这句话却包含着丰富的人生智慧。

珍妮是一位长跑爱好者，每天早上都会做 5000 米慢跑。不论严寒酷暑，刮风下雨，她的晨跑总是坚持着。其实开始时，情况并非如此。珍妮曾经十分厌恶早起，每天早晨都赖在被窝里为起床与否做着激烈的思想斗争。她总是使出吃奶的劲头，才勉强从被窝里爬出来。

也许每个人都会有同感，早上在床上的每一分钟都是如此让人珍惜，很多次珍妮都又迷迷糊糊地打上几个盹儿。同样，珍妮也不喜欢跑步，尤其是长跑，觉得它又艰苦又乏味，还会让人腰酸背痛。因此，早起跑步，对珍妮来说无异于天方夜谭。

那么珍妮这个最不可能坚持下去的懒虫，究竟是如何转变成今天的长跑爱好者呢？原来，是一次偶然的机会，珍妮的祖父告诉她说，为了成为一位“行动者”，一定要有勇气做到自律。他解释道：“不论我做什么，也不论我多么努力，如果我不能做到掌握自己，那么，将永远不能发挥出自己最大的潜力。”这便是祖父的“空想家”与“行动者”学说的核心思想，即克己自制，征服自己需要巨大的勇气。

祖父还引用他最喜欢的名人马克·吐温的一句话，来解释如何做到克己自制：“关键在于每天去做一点儿自己心里并不愿意做的事情，这样，你便不会为那些真正需要你完成的义务而感到痛苦，这就是养成自觉习惯的黄金定律。”祖父把这叫作“磨炼法则”，并鼓励珍妮说，只要能够坚持一个月，就一定能把自己改造成行动者。珍妮听从了祖父的建议，并选定了晨跑这件对身体有好处但对她来说是那么艰苦的差事，开始亲身实践祖父的“磨炼法则”。

珍妮的身体状况很差劲，从家门口到40码开外的信箱，往返一趟就让她气喘吁吁了。她的转变非常缓慢。每天的早起，却只能得到腰酸背痛的奖励，她有时会感到无比的畏惧。跑不了几步便气喘吁吁，上气不接下气。这样子下去，估计“磨炼法则”也很难生效了，珍妮的克己自制的目标也渺茫了起来。但唯一让她牢记心中的是，必须强迫自己坚持一个月！她做到了，一些意想不到的事情也就开始发生了。

随着身体状况的慢慢变好，跑步逐渐变得轻松起来，起床也变得不再那么艰难了。月底的时候，跑步这份苦差事似乎不再那么恐怖了，尽管早起仍然有点儿困难，有点儿费劲，但似乎可以克服。一切都变得越来越容易，越来越自然，直到最后，珍妮竟然不自觉地渴望晨跑！这时，她才开始真正感觉到，原来清晨长跑是一种享受。

“磨炼法则”对于培养克己自制的品质至关重要，克己自制则是充分发挥潜能的关键所在。自我控制并不单是一种非凡的美德，它更是使其他美德焕发光彩的源泉。掌握自己才能掌握一切。战胜自己需要最大的勇气，但是同时，战胜自己才是最完美的胜利。

罗斯福总统是一位意志坚定的领导人，他常常自诩为“自我塑造的人”。

小时候的罗斯福哮喘病缠身，身体虚弱得甚至无法吹灭床边的蜡烛。回忆童年，罗斯福总会这样形容自己：“一个体弱多病的男孩”，和“一段悲惨的时光”。小罗斯福视力欠佳，异常瘦削，他身体的状况糟糕得让他的父母不敢肯定他是否还可以活下去。不过，罗斯福还是活了下来。

罗斯福在回忆录中写道：“由于既虚弱又笨拙，所以我对自己毫无信心。我需要艰苦地训练自己的身体，更需要强化自己的意志和精神。”罗斯福明白，要想成为自己希望的那种人，则必须拿出勇气，通过磨炼来塑造自己。

记者亨利对罗斯福与自己的一番谈话记忆犹新：“关于我一生经历的各种战役，人们谈论很多。其实，最艰难的一场战役只有我一个人知道，那就是战胜自己的战役。”接着，罗斯福描述了这场如何驾驭自身的战役：“只有通过实践锻炼，人们才能够真正获得自制力。也只有依靠惯性和反复的自我控制训练，我们的神经才有可能得到完全的控制。从反复努力和反复训练意志的角度上而言，自制力的培养在很大程度上就是一种习惯的形成。”

罗斯福对自制力的训练贯穿了他的一生，也融入了他的日常活动中。即便是在总统任职期间，他也仍然坚持自己的实践训练。在他入主白宫的那些日子里，就像罗斯福自己所说的那样：“我总是在下午尽量抽出几个小时进行体育锻炼——打网球，骑马，有时也行走在崎岖的乡间小路上。”在给朋友的一封信中，罗斯福写道：“今天上午，在白宫接待处，我与6000个人握手；下午，我与4个孩子以及他们的十几个表兄弟和朋友们一起痛快地骑马两小时。我们跨越栅栏，穿过山丘，一起在平地上飞奔。”

罗斯福从不浪费时间，在没有特殊事情需要处理的时候，他喜欢读书或是给朋友们写信。罗斯福也是一个崇尚行动的人，他更愿意参与而不仅仅只是旁观。他曾这样拒绝了一次观看棒球比赛的邀请：“我可不愿意坐上两个半小时，而只是为了观看别人做事情。”不论是朋友还是敌人，都一致公认罗斯福的果断和坚韧，以及他对于别人托付任务的高度负责。所有这些品质，都源自罗斯福的自制力。

给予行动者动力的，同时也是阻碍空想家进步的，那都是同样一件事物——习惯！习惯是什么？习惯是你的终身伴侣，习惯是你最好的帮手，习惯也可能成为你最大的负担。习惯会推着你前进，也可以拖累你直至失败。习惯完全听命于你，而你做的事情中，也会有一半要交给它，因为，习惯总是能快速而正确地完成任务。

习惯很容易管理——只要你严加管教。请准确地告诉它你希望如何去做，几次实习之后，习惯便会自动完成任务。习惯是所有伟人们的奴仆，也是所有失败者的帮凶。伟人之所以伟大，得益于习惯的鼎力相助，失败者之所以失败，习惯的罪责同样不可推卸。习惯不是机器，除了像机器那样精确工作外，习惯还具备人的智慧。你可以利用习惯获取财富，也可能由于习惯而遭到毁灭——对于我们而言，二者毫无区别。

让我们走出空想的藩篱，勇敢地战胜自己，成为一个真正的实干家。

## ◆ 狼的自述

只看着猎物永远不会填饱肚子，天上只会下冷雨，掉馅饼这种事情永远不会出现。要想获得猎物，唯一的方法就是靠自己的努力。

# 第4章

# 把握机遇　成败关键

最聪明伶俐的狗加上最经验丰富的猎人，往往也抓不住最狡猾的狼。狼对于危险有一种天生的敏锐直觉，任何一点风吹草动，它都会闻出其中的气息。狼的敏锐不仅仅表现在应对危险上，更表现在对机会的把握上，一个动物学家在跟踪狼群三年之后得出结论，狼对机会的有效把握率高达80%以上，而人类只有35%左右。所以在这一方面，狼是值得人类学习的。

## 抓住稍纵即逝的机会

万事俱备，只欠东风。

——诸葛亮

牧民与狼的斗争自古以来就从未停止，不管牧场防守得多么严密，狼群总是能找到那稍纵即逝的机会，偷袭成功。野外捕猎也是如此，机警如兔子、灵活如山羊、严密如野马，不管什么样的猎物，只要被狼盯上了，那么最后狼总能把握机会，捕猎成功。

人生也是如此，我们并不把机会列为成功的必要条件，但是机会却是打开成功之门的一把金钥匙。它可以把我们与成功之间的距离一下子就拉短。

机遇真是一种很奇妙的东西。它就像一个小偷一样，来的时候没有踪影，然而走的时候却会让你损失惨重，只有认真仔细的人才能够发现它。是的，只有抓住机遇，才能有机会改变我们的人生，使自己有一个更光明的未来。

俗话说："机不可失，时不再来。"我们的人生就充满了机遇。所谓"时势造英雄"就足以说明机遇对人一生的影响之大了。

法国著名的幻想小说家凡尔纳18岁时，在巴黎学习法律。有一次，他参加一个上流人士的晚会。当他从楼上向下走时，童心未泯的凡尔纳像个孩子一样从楼梯扶手向下滑，结果撞在了一个胖胖的绅士样的人身上。这个人就是大仲马。二人从此便相识了，成为好朋友。凡尔纳由于抓住了这个不是机遇的机遇，走上了文学创作之路，成了法国的"科学幻想之父"。

现在想想，如果当初凡尔纳与大仲马相撞后，仅仅是道一句歉，没有攀谈，相信凡尔纳一生都可能只会是一个默默无闻的小律师。可见，成功地抓住了一个机遇对一个人一生的影响是多么的大！成功地抓住了机遇，就等于将自己的命运紧紧地攥在了手里。

然而，机遇对每个人都是公平的，有些人抓住了，有些人抓不住；有些人发现了，有些人茫然无知；有些人在不断创造机会，有些人在苦苦等待机会。显然，我们更应该欣赏前者。

其实，机遇是可以创造的。在经过一段艰苦卓绝的奋斗后，良机便会赫然出现，这也是能力到了一定的积累后质的飞跃。机遇不喜欢懒汉，也不欣赏投机者，机遇总伴随着勤奋努力的人、不断开拓的人、持之以恒的人、力求创新的人。所以，让我们做一个机遇的创造者，并抓住机遇，扼住自己命运的喉咙，开创属于自己的人生！

机会出现的概率固然不多，但是把握机会则更是难上加难，最可悲的是，很多人当机会到来的时候却茫然不觉，这样的人才是可悲的。

一场大雨过后，洪水冲向了一座城市，人们纷纷逃离到安全的地方。这时候，一个人发现教堂里一位神甫正在祈祷，于是冲进去对他说：“神甫，洪水马上就要来了，快点跟我们一起到安全的地方去吧。”

神甫摇了摇头，说：“不必了，我从出生开始就虔诚地信仰上帝，我相信上帝一定会派使者来救我的！”那个人摇摇头，自己逃走了。

终于，洪水进入了市区，教堂里也开始进水，很快就淹到了神甫的腰，神甫只好爬在窗户的栏杆上。这时候一个救生员驾着小艇过来了，他焦急地对神甫说：“神甫，快！快上来！不然洪水会把你淹死的！”

神甫还是坚持说：“不用了，上帝一定会派使者来救我的！”

洪水越涨越高，神甫只好爬到了房顶上，这时候，一个警察开着气垫船过来对神甫说：“神甫！快！快上来！不然洪水会把你淹死的！”

神甫依然坚持：“不！我要守着我的殿堂！我深信上帝会来救我的！”

又过了一会儿，洪水已经把教堂淹没了，神甫只好抓着教堂顶端的十字架。一架直升机缓缓飞过来，丢下绳梯之后，飞行员大叫：“神甫！快！快上来！不然洪水会把你淹死的！”

尽管已经面色苍白，瑟瑟发抖，神甫还是意志很坚定地说：“不！我深信上帝会来救我的！”最后，洪水终于完全漫过了教堂，神甫被淹死了。……

神甫上了天堂后，看见了上帝就很生气地问：“你是怎么搞的呀？我信奉了你一辈子，你竟然见死不救，这样你的子民还会相信你吗？”

上帝也生气地说：“你到底想怎么样嘛？我一开始就派了个人警告你，后来又派了两艘小艇和一架直升机去救你了，难道你要航空母舰才坐呀？”

上文中的神甫坚信上帝会拯救他，而错过了一次又一次的生存机会，但是实际上那些救他的人就是上帝派的，只不过使用的方式和他想象的有些不一样而已。

现实生活中也是如此，很多时候我们抱怨机会为什么总是不眷顾我们，实际上往往是因为机会以一种我们未曾料到的方式从我们身边溜走了而已。

有时候，即使是碰到了机会，我们也不一定能够把握住，很多人喜欢把机会比做鱼，有时候鱼太大，即使你碰到了，也不一定能抓住。

中专毕业以后，很多同学都希望找一份理想的工作，小张也是一样。但是在激烈的就业竞争中，她的学历又不高，找一份称心如意的工作谈何容易？

就在这个时候，被幸运之神青睐的小张，却在提前被一家实力雄厚的大公司预聘后，试用期未满就离开了工作岗位。不明个中缘由的人还以为她是被公司“炒鱿鱼”了，可事实上，却是小张急流勇退，自动放弃了这份让人羡慕的工作。

能被一家实力雄厚的大公司预聘，并且只要扎扎实实地干，试用期一结束就可以顺理成章地成为公司的一员，同学们羡慕都还来不及呢，小张是不是吃错了药，竟然“身在福中不知福”？当同学向她打探选择退出的理由时，小张并没有直接说出原因，而是先讲了一个耐人寻味的故事：

“从前，有一位主人很想吃鱼，于是这天上午，他吩咐仆人去买一条鱼来清蒸。中午，开饭的时间到了，却不见仆人叫他吃饭。主人心想，也许是还未蒸熟吧。可是，又等了很久，仍旧不见仆人的身影。主人饿得肚子咕噜咕噜地叫，于是就到厨房想看个究竟，却见那条生鱼仍安然无恙地摆在砧板上。主人气不打一处来，叫过仆人质问原因。仆人无可奈何地说，他在市面上挑了一个早上，终于挑出这条最小的鱼，可家里的锅还是装不下，他正苦恼着想办法呢！因为鱼大锅小没法蒸，那天的午餐，主人没有吃上清蒸鱼。”

讲到这里，小张感慨颇深地说：“很遗憾，我就像故事中的那位仆人，我的‘锅’太小，即使侥幸能留在公司，当有一天公司给我一条大‘鱼’时，我也只能望‘鱼’兴叹啊！”

在我们的周围，有不少这样的人，他们总是感叹命运不公、时运不济，嫌弃自己“锅”中的“鱼”太小，希望拥有大“鱼”。虽然这种想法本身是积极向上的，然而这也正是许多人的悲哀，因为他们只知道垂涎大“鱼”，却不知道扩充自己的“锅”。当有一天真正遇上了一条大“鱼”时，就只能望“鱼”兴叹、与机遇失之交臂了。

处在这个竞争激烈的年代，要想求得生存和更大的发展，必然得忍受或多或少的痛苦，但真正的痛苦莫过于当有大“鱼”垂青或降临时，却因为自己知识的浅薄和才能的平庸而把握不住。一位伟人曾说过：“机遇只垂青有准备的头脑。”所以，不管你是否愿意，都得时刻保持高度的危机感。只有多学点知识，多培养技能，才能在竞争中拿出应对机遇的招数，不至于眼睁睁地看着机遇从自己的眼前溜走。

是的，机遇就像一条鱼，一条谁都没法预测其大小的鱼。我们不妨尽量把自己的“锅”扩充得大一些，再大一些，小鱼来了不放过，大鱼来了也能应付。小张的无奈和遗憾，应该成为我们的前车之鉴。

成功与个人努力有关，更与机遇有关。哲人说，人生的道路尽管很漫长，但要紧处就那么几步。对于人生而言，奋斗固然重要，但能否抓住机遇也是十分关键的。在人生的关键时刻，一次努力能抵得上平时几次、几十次的努力，一年的奋争能抵得上几年甚至十几年的、几十年的奋争。从这一意义上讲，在关键时刻把握住机会就等于实现了人生的乘法。

### ◆ 狼的自述

成功就是不懈地努力加上一点点机会，努力是加法，机会是乘法，两者兼备才会得到最大的结果。

## 羊不会自动送到嘴边

天上只会掉冰雹，不会掉馅饼。

——林肯

无论是和平年代还是在恶劣的环境当中，狼都从不奢求食物会自动送货上门，更不奢求哪一只哪怕是很羸弱或衰老的羊会自动送到嘴边。狼一般都嗜血如命，但是猎人们却很难用猎物勾引的方法抓到狼，一方面是因为狼足够警惕，另一方面，是因为狼从来不相信“天上掉馅饼”这种事情。

正所谓“机不可失，时不再来”，当机会出现时就一定要抓住它，每天我们都在等待着机会的到来，当然不是像等着“天上掉馅饼”那样。我们每天都在准备着，准备着一旦有机会来了，我们就抓住它，这包括心理上的和知识上的。如果什么也不干，就那么干巴巴地等着，即使是机会来了，你也未必能把握得住。

“如果我在他的职位我一定比他做得好，如果我有那个机会我比他更成功，如果我的薪水高点我的工作热情一定更高，如果……”

我们总是习惯于想象那些并不存在的东西，如果我们能把握现在的工作，不是更好？人，最珍贵的是什么东西？有人说最珍贵的东西是那些得不到的东西，因为得不到才更想得到；有人说最珍贵的东西是已失去的东西，因为失去的永远不再回来。

而事实上最珍贵的东西就是现在所拥有的，把握住现在的才是最重要的，因为它真实，所以它需要珍惜。未得到的是虚幻的将来，无从珍惜；已失去的是沉淀的过去，不应沉湎；而只有珍惜现在，才能对得起过去，把握住将来。什么是机会？把握住现在就是机会。

总有人说：如果给我一个机会，我会如何如何；如果让我再来一次，我能如何如何；如果我当初这样做，结果将如何如何。与其在喟叹中惋惜过去、荒废现在、失去未来，为什么不能够把握现在拥有的机会呢？

如果你不能够珍惜现在的工作，等你失去这个工作的时候，你会追悔莫及；与其总奢望那些不切实际的东西，不如我们把握现在拥有的东西，努力工作，不久以后，那些虚幻的结果离你就不会远了。

"如果我是部门主管，我怎样怎样……"心里总是这样凭空地想象，什么时候才能到这个位置？为什么不在这个时候给自己订下一套切实可行的计划，然后为之奋斗？如果这样，那么不久的将来，你离成功就不远了。

山下的人羡慕山顶的人，能够看到更多的美景，但是他有没有想到，登顶之人，曾经如何地披荆斩棘、历尽艰苦？天上不会掉馅饼，成功永远来自于不懈的奋斗！与其在山下徒劳羡慕，还不如努力攀登，去看一看山顶的大好风景！

晋朝有一个叫王戎的小孩非常聪明，有一天他和小朋友们在一起玩耍，忽然发现前面不远的路边上有一棵李子树，上面硕果累累，结满了熟透的李子。大家高兴地欢呼一声，都急着跑过去要摘李子吃，只有王戎站在原地一动不动。一个大人看见了，就问他："为什么你不跟着大家一起去摘呢？一会儿可就没了。"王戎不慌不忙地说："路边上的李子树，如果好吃的话，果子一成熟就会被人摘走了，怎么可能有满满一树熟透的果子？所以，那里的李子一定是苦的。”没多久，那些跑去摘李子的孩子果然因为李子苦而大吐特吐。

看见路边的树上长满李子，就能断定李子肯定是苦的，要不然早被人摘光了，哪里还轮得到迟来的小孩子？小王戎的智商实在是高，不仅懂得人自私的天性，还懂得天上不会掉馅饼的道理。有时候就是这样可笑，连小孩子都明白的道理，大人们却往往被利欲熏心蒙住了双眼。

随着我国社会福利事业和经济的发展，各种彩票事业蒸蒸日上，据不完全统计，我国的彩民高达5亿多人。

彩票，是一种公益事业，主要的目的是为了支持社会福利、体育等事业的发展，当然巨额的头彩可以使人“一夜暴富”，但是那只是极个别的现象，这个“馅饼”，可不是那么容易吃到的。博彩，只能当成是一种娱乐、一种爱好，而不应该是当成一种事业。

最近不少省市频频发生不法分子利用假彩票空手套白狼的事件。2004年8月9日下午2时许，韶关朱某在门口发现一封匿名信，信封内装有一张写着“香港鸿星集团公司”的广告和一张“鸿星集团刮刮卡”。朱某刮开此卡，发现自己“中了20万元”，于是拨打卡片上的咨询电话，对方说要到上海领奖，如无法赴沪可先付4000元，由对方到保险公司办理手续再付款到朱的账号。朱某拿奖心切，未及细想就将4000元汇走，而对方称还要补交20%提成款。朱某随后感觉受骗，立即报案。

类似诈骗案件的共同特点，是客户收到有抽奖宣传单和抽奖卡的信件，内容为“某公司周年庆典之际，特隆重举行回报消费者活动，推出广告彩票即开型活动……”并附刮刮卡一张。当有人打电话咨询，不法分子同样采取索取“保证金”“手续费”的方式行骗。

“天上不会掉馅饼”这句话揭示了一个简单的道理：想要获得，就必须付出。不劳而获或者少劳多得轻轻松松地挣大钱，只能是不切实际的幻想。抱这种幻想的人往往容易上当受骗。

现在社会上有些不法分子设置种种陷阱坑害找工作的人，他们的惯用伎俩之一就是许诺一些根本不可能兑现或根本不想兑现的事情。比如在一些报纸上登的高得离谱的薪金，街头巷尾不少万元招聘公关的小广告就是这样。

其实这种骗局并不难识破，只要心里守住“天上不会掉馅饼”这个道理，凭勤劳的双手挣钱，不要异想天开，就是再高明的骗子也难施其计。问题是总有一些人相信真有“天上掉馅饼”这样的好事，这才使得那些相差无几的骗人和被人骗的故事能够一年又一年地长演不衰。

我国正处在计划经济转向市场经济的巨大变革之中，企业改制、落聘下岗、就业困难等带来的压力增大，使得原来习惯于稳定生活的人们感到茫然，甚至不知所措。许多人还常用一种惯性思维来对待这一变化，仍然抱着靠单位、要政策等安排的想法，期望某个机会的降临来改变自己的生活。

然而，我们都知道，天上不会掉馅饼，机会不会在那儿等着你。唯一的办法，就是积极行动起来，去努力创造机会，去全力以赴地打拼，这样，才有可能改变自己的生活，才会赢得成功。现实生活中有过许多这样的例子，而且在我们身边，也不乏这样的创业者。比如，《百姓创家业》报道中介绍的曾经下岗待业的王克胜，靠着自己的面点手艺开起大排档，过上了滋润的小日子；再如从外地来到芜湖谋生的王安庆，在一无所有、困难重重的情况下，不灰心、不放弃，依靠勤劳双手，诚实经营，终于创出了自己的一份小家业……

通过实际地参加工作可以学到更多的技能，包括工作上的，也包括与人交往方面的，但更重要的是心态。只要有一个良好的心态，生活有目标，面对的任何挫折、困难都将成为我们接近这个目标的垫脚石。我们还需要毅力和决心，世界上没有一样东西可以取代毅力。才干也不可以，怀才不遇者比比皆是，一事无成的天才很普遍；教育也不可以，世上充满了学无所用的人。只有毅力和决心无往而不胜。我们要相信自己一定可以成功，因为我们志在成功。让暴风雨来得更猛烈些吧，只有这样我们才能变得更加强大。

鲁迅把别人喝咖啡的时间都用来学习，我们为什么不能把羡慕别人的时间用来安心工作？珍惜自己现在的工作机会，每天都要尽心尽力地工作，尝试在每一件小事中超越自己：从工作标准上超越自己、从工作效率上超越自己、从工作方法上超越自己、不知不觉中你就会被老板发现、被领导赏识、被同事钦佩。

传说鸡和鹰的祖先是亲兄弟，它们生下来的时候都有一对很漂亮的翅膀。开始它们都很努力地学习飞翔，结果几天下来鸡的祖先放弃了，它发现陆地上就有很多吃的，没有必要受罪练习飞翔，时间长了，它的翅膀就慢慢地退化到现在的样子。而鹰的祖先则以飞为乐，食、眠之余，振翅不倦，最后练就了一对强劲有力的翅膀，实现了它搏击长空的梦想。

每一个人生下来都有千里马的潜质，但是需要在成长过程中慢慢地磨炼、培养、挖掘，才能成长为一匹真正的千里马。而另一些不愿意吃苦、没有毅力、不愿超越自我的，就成了扼杀自己潜质的“驽马”。

不要怨自己的工作平淡无味，不要怨你的上司不赏识你，不要怨你的同事不认可你，因为你还没有足够的业绩和能力，因为你的努力还不够。那些还没有做多少工作就开始抱怨工作的人，永远不可能实现他们的理想，因为态度决定一切。

曾经有两个旅游者在沙漠迷路了，他们在沙漠里走了一天一夜，没有喝到一滴水。第三天的时候，他们在沙漠里拣到了一个瓶子，第一个人拣了起来，说：“唉！找了这么久，只有半瓶水！”

第二个人看了后说：“太好了！我们找到水了！”结果如何？不言自明。后来，第一个人绝望了，不肯继续走下去了，最后只有第二个人走出了沙漠。

态度决定一切。对待工作也是一样的，要以积极乐观的态度来看待自己的工作，也许现在老板还没有赏识你，也许你的薪水还不称心，也许你的工作能力能胜任更高的职位，也许……但是从乐观的态度来看，至少我们从工作中学到了什么：比起昨天，我对工作更加熟悉了；比起上一次，我没有失误了；比起上个月，我的工作效率提高了——这就是收获。

不要奢望“如果”，把握现在才是最重要的。如果连现在都把握不住，谈什么将来！如果连现在这个小职位都不能把握住，即使给你一个更高的职位，那你也不一定能胜任。冬天已经来了，春天还会远吗？热爱你现在的工作，晋升和加薪就会不期而至。

◆　狼的自述

毫不费力就到嘴的食物，不是毒药，就是诱饵。

## 自信才能逮到羊

与其在叹息中老去，不如在奋斗中牺牲！

——罗伯斯庇尔

我们看到在很多文章里面写到狼负伤时往往都是这样描写的：

“它在角落里默默地舔舐着自己的伤口，只要疼痛一减轻，又马上回到队伍中去迎接新的战斗。”

为什么狼会如此快地走出伤痛与沮丧？因为它们深深知道，痛苦和沮丧对于成功不会有任何的帮助，更不会给你带来机会。而只有以自己敏锐的头脑去发现机会、捕捉机会，才会给生存带来机会。只有坚信痛苦只是暂时的，伤口一好，我还是那只战无不胜的狼，才能逮到最强壮的羊。

现在的年轻人，总是有一种感怀过去的情绪，事业失意了，要叹息一阵子；感情受挫折了，要伤感几个月；机会错过了，也要长吁短叹很久。殊不知，就在你的一次次不自信的叹息当中，很多机会都悄悄地从你身边溜走了。

从前，有一个周朝人，一直没有碰上被提拔任用的机会。这时的他年事已高，白发苍苍。一天，伤心的他又在路旁哭泣。有人问他："你为什么哭泣呢？"他抹了一把鼻涕回答："我一直没有遇到提拔任用的机会，伤心自己年事已高错过了大好时机，所以哭泣。"路人又问："那么你为什么一次都没有被提拔呢？"他很沮丧地说出了原因："我年轻时，学习做文官，文官方面的修养已经具备，刚要准备做官时，国君却喜欢任用老年人。后来，用老年人的君主死了，后主又喜欢用武将，我就改学武官，当武官的标准基本达到时，后主又死了。少主刚刚即位，就又喜欢年轻人，可我的年龄又老了。所以，我一次都没有遇到被提拔任用的机会啊！"

这位老先生的命运，令人同情。努力一生，也未跻身官阶，最终“年老白首，泣涕于途”。在我们看来，他与其这样孜孜不倦地追求和勤勤恳恳地努力，不如一开始就自信地坚持做文官的信念。虽然国君喜欢任用老年人，但自己只要才识过人，相信总有出头之日。愚蠢的人总是浪费机遇，消极的人只会等待机遇，聪明的人却能够自信地把握住机遇。

例子中的周人只能跟在形势的后面亦步亦趋，只会等待机遇，却又总是浪费机遇，归根结底在于他的不自信。因此，我们要自信地抓住机会，创造机遇，以自己的努力和机智改变自己的命运，不仅做一个平常人，更要做一个聪明人。

现在的社会是一个令人苦恼的社会，有很多人得到“上天的眷顾”，成为风云人物，是因为他们都非常自信，但是大多数人都在等待机会，希望将来出现对他们有利的光明前途。其他人则希望时间能倒流，回到以前那种“美好”的古老时光中。

有人幸运，毫不费力地就有了美好的人生，但是这样的人却是万里挑一、凤毛麟角；有人进取，努力寻找机会，相信自己会出人头地，这样的人值得称赞；有人稳妥，本分工作，等待机会，一生平安，这样的人也无可厚非。

著名的成功学家拿破仑·希尔在美国各地高中学校的研讨会及毕业典礼上演讲时，总喜欢把学校外面的一些真实情况告诉学生，并向他们说，我们不会在将来被“熔毁”或被“炸成灰烬”，结果下面的年轻人——这些将成为明日社会主体的年轻一代，往往并不相信他所说的话。

拿破仑·希尔告诉他们：“你们是我们历史上最幸运的人，因为你们生活在一个飞速发展的年代、一个充满了变化与机会的年代，你们一年之内看到的变化，比你们的祖父一生所看到的还要多。所谓的‘美好的古老时光’，事实上并不像大家所说的那般美好。”

当学生们听到拿破仑·希尔这些话时，眼睛瞪得像铜铃那般大，似乎他讲的是《天方夜谭》中的故事，根本就不相信他的话。

拿破仑·希尔告诉他们：“在以前那些的古老日子里，我们总是用一个非常大的木桶洗澡，用的是在烧炭或烧煤的炉子上加热的热水。在那些‘古老的美好日子’里，我们洗澡的水就是在我们之前洗澡的人所留下来的同一桶热水。如果在你前面洗澡的是你的叔叔，而且——命运很会捉弄人的——他是一位养猪的人，那么，你的衣领不会留下一圈污垢，反而是你的身体会留下一身污垢，愈洗愈脏。

“在那些‘美好的古老的岁月’里，流行小儿麻痹、白喉以及猩红热等可怕的疾病。那时候的人从来就不曾听过沙克疫苗这种东西。在40年代以及50年代初期，在酷热的夏季里，我们竟然不敢到社区游泳池游泳，或是去电影院，因为我们担心会感染小儿麻痹症，以致半身不遂、残废，甚至死亡。”

当拿破仑·希尔这样告诉这些年轻人时，他们甚至不明白他究竟在说些什么。他们也从未听说过，在大战期间实行配给制度，必须在汽车挡风玻璃上贴上A、B或C的贴纸，凭这些纸条在每个月内购买几加仑的汽油。

拿破仑·希尔向他们出示1857年11月13日《波士顿环球报》的头条新闻标题，结果他们都看傻了：“能源危机如火如荼。”下面的小标题则写着：“全世界将陷入黑暗？鲸油短缺。”同时向这些美国高中孩子描述了一个典型的美国家庭在当年那个阴沉、冰冷的11月早晨，一眼看到这个头条标题时的反应情景——

“嗨，玛丽，”那位男士可能会这样向他的妻子大叫，“你看到报纸了吗？我们已经遭遇了有史以来最严重的能源危机。”

下面听讲的这些孩子开始了解，人们总是习惯于强调这个世界的黑暗面。从他们的父母、老师以及朋友们的抱怨来看，仿佛这个世界愈来愈糟了。

他们问拿破仑·希尔有关核子毁灭以及核能发电厂的问题。拿破仑·希尔十分诚实地加以回答。日本十分依靠核能发电，苏联所需的电力将近60%来自核能发电厂。拿破仑·希尔本人则盼望这个世界能赶快进入镭射融合时代，因为目前的核子分裂发电比较危险。拿破仑·希尔同时也相信，著名新闻播报员保罗·哈维对能源的看法是正确的。他说："如果使用电力的第一种产品是电椅，那么，我们今天甚至不敢插上我们的烤面包机插头。"我们回头到历史中寻找时，可以得知最坏的时代，也能发现最美好的事物。这完全要看我们所要寻找的是什么。

也许我们不能马上领会——成功的秘诀就是：相信现在拥有的，相信自己，抓住现在，不要沉湎于过去。每个年代的人都会哀叹他们那一代生活在历史上最困苦的环境下，他们总是抱怨这个残酷的世界，并且把头像鸵鸟一样不自信地埋在沙中，他们对于需要自己解决的问题，总是没有把握，总是缺乏自信。他们可以把问题归咎于长辈或政府，然后大玩美国现在最流行的新游戏——"捉迷藏"。在这种游戏中，每个人都要拼命奔跑并且躲藏起来，被捉到的人只好当倒霉的"鬼"，然后再找另一个人来代替他。

拿破仑·希尔在对年轻朋友发表演讲，或者在研讨会上，总要对这些明天的中坚人物说："所谓'美好的古老时光'就是今天，因为这才是我们生活的日子，也是我们在历史上唯一生存的一段时间。这是属于我们的时代。我不曾向你们描绘美好的一面，也不曾向你们诉说悲惨的一面。我不会向你们灌输过度的乐观思想，只是要告诉你们生活中的变化是无法避免的，你们所需要做的就是自信地承担、勇敢地面对，改变你们所能改变的。"

机会不会在叹息中重现，而只会在不自信的人手中失去，要想成功就要自信地抓住机会，相信把握未来就在今天，只有这样，才不会让机会溜走。

——我要马上开始工作，我要立即拟订目标和计划，我要锻炼好身体，我要健全心理，我要让心休息，我要克服恐惧忧虑，我要让人喜欢，我要让人幸福，我要走向成功卓越。因为——我自信能做到这一切！

### ◆ 狼的自述

伤痛不会让我消沉，只能激发我更强的斗志！

## 隐忍以行，将以有为

忍人所不能忍，成人所不能成，大丈夫也！

——韩信

童话故事当中，总是把狼描述成一副凶残而愚蠢的样子，实际上，狼是相当聪明的动物。对付大群的猎物时，狼群往往会在一个合适的区域连续不眠不休等上几个昼夜。单只的狼在面对强大敌人的时候也是如此，往往会先潜伏下来，默默地承受、静静地等待、真真正正地“忍气吞声”，然后等待最佳时机，争取一击必杀。

真正勇敢的人不是莽撞，而是善于等待。等待是一种隐忍，不是一种消极的行为，善于在等待中寻找机会的人，往往成功的可能性更大。

春秋时，鲁国有一个勇士叫卞庄。有一天，卞庄在一家旅店附近遇见两头恶虎争食一头牛。他想要刺杀老虎，旅店的仆人劝阻他说：“两只老虎正在吃一头牛，吃美味的食物，必然要争，一争定要斗，一斗就会大的受伤、小的被咬死。小虎死了，大虎也伤了，你再去刺杀受了伤的老虎，必然能获得杀死双虎的名声呀！”卞庄以为他说得很对，就站在那儿等待。过一会儿，两只老虎果然斗起来，大的果然受了伤，小的果真被咬死了。卞庄这时去刺杀了那只受伤的老虎，一下子果然获得了捕杀双虎的威名。

机会是什么？机会就是做事情的最佳时机，如果卞庄一开始就上去和老虎搏斗，两只老虎肯定会一起对付他，到时候非但能不能杀死两只老虎是个问题，就连是否能保住自己的性命都尚未可知。

等待时机，并不是消极地等待，什么也不做，守株待兔式的等待是很难取得成功的。等待，就是要积极地等待，在等待中寻找机会、探求突破，而不是在等待中消磨时间、消耗自我，等待是要在希望中等待。那些成功者之所以成功，不在于他们比我们聪明多少、能干多少，而在于他们比我们更懂得怎样在等待中充实自我，在等待中寻找机会。

楚庄王是春秋时楚国最有作为的国君，中原五霸之一。公元前614 年，庄王登上了王位，大臣们都希望新君能够奋发图强，使楚国更强大。但是没想到的是，庄王一即位就发布了一条命令，如果有人敢进谏的话，杀无赦。

就这样过了很长时间，庄王天天出去郊游或者打猎，回宫后就声色犬马，过着奢侈的生活。有些正直的大臣实在看不下去了，就冒死进谏，结果都被庄王打了个半死，然后罢官回家。大家就都不敢说话了。

就这样过了三年，庄王什么都没有干，眼看楚国就要这样败落了，一些有为的大臣共同推举当时能言善辩的大夫伍参，想让他委婉地劝说一下庄王。

伍参来到王宫，发现庄王左拥右抱，正在欣赏音乐。庄王一看见伍参，就不高兴地说：“你不是来提意见的吧？难道想试试我的刀快不快？”

伍参告罪说：“我哪是来提意见的，我只不过是看见一件很奇怪的事情，一直想不通，想请教大王罢了。”

庄王问："什么事情，你说说看。"

伍参说："我看见一只大鸟，停在都市里，整整有三年，但是既不飞也不鸣叫，我不知道是什么原因。"

庄王笑着说："三年不飞，一飞冲天；三年不鸣，一鸣惊人。到时候你自然明白，你先回去吧！"

但是又几个月过去了，庄王依然像以前一样每天享乐，另一个大夫苏从又进谏。庄王抽出宝剑："进谏者斩！你不怕死吗？"苏从说："就算死，我也要进谏，大王这样做就是不对。"庄王大笑，从此取消了宫廷的一切享乐活动，重新开始治理国家。他在短时间内迅速杀掉了五个只知道阿谀奉承的官员，提拔了六个正直有为的官员，伍参和苏从也得到了重用。

原来，这三年来庄王一直在考察臣子们的言行，然后找一个合适的机会进行整饬。庄王三年，国内发生灾荒，戎人骚扰，附属的庸国、麇国勾结百濮叛楚。庄王集中力量伐灭威胁最大的庸国，又吞并了麇国，控制了局面，增强了国力。此后，又极力整顿内政，任用贤才，厉行法治，加强兵备，使楚国出现一派国富兵强的景象。

庄王二十年冬，楚、鲁、蔡、许、秦、宋、陈、卫、郑、齐、曹、邾、薛等国在蜀（今山东泰安西）开会结盟，正式推举楚国主盟，楚庄王遂成为中原的霸主。

庄王的这种等待，就是一种隐忍，是一种积极的等待。他利用三年时间观察出了周围官员的品行与德操。机会来时，才能把那些不利于国家发展的人一举铲除，启用那些对国家忠心耿耿的有胆量有见识的人。我们在现实生活中有时候也需要有这种等待的耐心与韧性，毕竟机会不是随时都有的，在机会没有来临之前，我们就需要耐心地等待，在等待中充实自己、发展自己，为将来机会的到来做好准备。

小王从设计学院毕业以后，来到深圳，被一家广告公司录用，当业务员。在三个月试用期里，小王每月只有 500 元底薪。可以想象，在深圳这个高消费的城市里，这区区 500 元也刚好只够他跑业务的路费。

小王一直的理想都是当一名出色的设计师，在上大学的时候，他的平面设计学得也特别扎实。可当在深圳的人才市场奔波了半个多月后才知道，原来应届毕业生一开始就当上设计师的实在是凤毛麟角，在招聘者眼里刚毕业的大学生最多只能做一些辅助性的工作。为了生存，小王不得不先做业务员。

对于刚刚来到深圳的人来说，业务员的工作也是不容易的。8 月的深圳正是盛夏季节，小王拿着公司的价目表像一只无头苍蝇一样到处乱闯。40 天过去了，小王连一单广告也没拉到，心急如焚。后来在一位好心人的帮助下，小王终于拉到了第一张订单，他欣喜若狂。接着，小王又陆续拉到了一些小单子，基本上可以解决温饱了。

做业务员不可能是小王事业的终点，因为他时刻没有放弃做设计师的梦想。在经济非常紧张的情况下，小王买了一台电脑，一边坚持看书学习，一边完善在大学时做的一些设计。

在公司，小王常在空闲的时候，偷偷溜到设计部，看公司的那些设计师们如何在电脑上设计，并虚心向他们请教。

在这种枯燥的等待当中，小王度过了两年时光，功夫不负有心人，机会终于来了。一天，小王在去收客户的剩余款项时才发现，那家公司不知何时搬了家，负责人的电话也停机了，距离公司规定结清广告款的时间只有两天时间了。他想尽了一切的办法，依然没有这家公司的消息，于是小王果断地做出了一个决定——自己东拼西凑了近几千元钱主动补上了这个窟窿。而以前公司有类似的事情发生时，业务员一般都是百般抵赖，甚至一走了之。

这件看起来很麻烦的事改变了小王的命运，一周之后，公司的老总从财务那里知道了这件事，大概他感觉到非常意外，就从人力资源部那里要了小王的简历，重新翻看了一下，当他发现小王学的是工艺美术之后，就更意外了。有一天下班的时候，老总单独留下了小王。第二天，小王就当上了公司的设计师。

后来公司接了一个从某著名广告公司转来的近百万的大型楼盘广告，因为客户对原来那家公司的设计方案不满意，就临时转到了小王公司，由于工作要求很急，事先也没打任何招呼，公司的设计师大多放假回家了，所以老总非常着急地找到小王，问是否有把握。小王感觉到这是一个机会，在详细了解了客户的设计要求之后，做了肯定的回答。

在别人正在过春节的那些天里，小王吃住在办公室，每天只睡三四个小时。有时候为了一个创意，小王常常在电脑前一坐就是几个小时。慢慢地眼睛开始流泪，眼角发涩发疼，小王总是使劲揉一揉，或者跑到洗手间里用冷水洗一洗，感觉眼睛舒服些了后又开始忙活。

草案拿出之后，老总就放心了，客户那边的反馈也非常不错，说很好地体现了他们的意图。春节过完的时候，最后的方案也完成了，而且刊登之后，各方面的反应都很满意。这个偶然事件充分证明了小王的实力。这样小王干不到半年，就脱颖而出，成了公司的主力设计师，月薪涨到了6000多元。又过了半年，小王被提升为经理。

小王是一个善于抓住机遇的人。从这个故事中我们可以看出，在深圳生活的压力是显而易见的：小王不停地工作、学习、充电，几乎把自己全部的精力都用到了工作上，在等待中充实自己，寻找机会。最后终于得到了很好的回报，职位不断提升，收入不断增加。小王不仅是一个勤奋的职场“老黄牛”，更是一个有成功大智慧的人。小王的例子让我们更深刻地领会到一个道理：既然暂时没有机会，那么就要学会在等待中寻找机会。

◆ 狼的自述

静若处子，动如脱兔；不鸣则已，一鸣惊人。

## 主动出击，敲机会的门

弱者等待机会，强者创造机会。

——拿破仑

海底有一种鱼，它们总是在岩石后面张开大嘴，等着那些小鱼小虾送上门来，这种生活方式虽然可以勉强生存下去，但是它们却长期处于一种饥饿状态。一般的食肉动物，像老虎、狮子，都有自己的领地，它们平常就在领地内活动，一直到老死，也很少离开领地一步。但是狼却不然，它们是草原上的“游牧民族”，虽然狼也有相对固定的活动范围，但是一旦出现食物紧缺，它们就会四处出击，寻找新的捕猎食物的机会。

在某一次战斗结束后，亚历山大大帝让部队进行短暂的休整，有人问他，是否等待机会来临，再去进攻另一个城市。亚历山大听了这话嗤之以鼻：“机会？机会是要我们自己去创造的！”

在某个山上有一位著名的武术名家，很多人慕名找他学习。一个年轻人从小就上山跟着他学习，经过了十几年的艰苦训练，终于可以艺成下山了。临行前，他恭敬地问师傅，还有什么话可以指教他。

师傅问：“如果你面对一个高手，根本发现不了他的任何破绽，你打算怎么样打败他？”

年轻人回答：“防守，首先在保存自己的情况下去慢慢发现机会，只要有了机会，我就有信心战胜任何人。”

师傅回答："你对机会的重视并没有错，但是寻找机会的最佳方法并不是防守，而是进攻！因为进攻当中，敌人才更容易露出破绽。记住，最好的防守就是进攻，要主动出击，打开机会的门。"

年轻人听从师傅的教诲，下山以后没几年，也成了一代名家。

对于机会，那些总也把握不到机会的人常常抱怨："引导牛顿发现地球引力的那个著名苹果为什么不是掉在我的头上？那只藏着珍珠的巨贝为什么偏偏就产在巴拉旺，而不是在我常去游泳的海湾？拿破仑偏能碰上约瑟芬，而我为什么总没有人垂青？"

我们不妨想象一下这一切上帝都来帮你实现了：上帝在你必经的路上不偏不倚地掉下一个苹果，你是像牛顿一样思考苹果掉落的原因，还是把它拾起来吃了？上帝把一块巨大的珍珠放在你经过的路上，并将你绊倒，你是低头去发现它，还是怒气冲天地将它一脚踢下阴沟？最后上帝干脆在你身上重现拿破仑的经历，像对待他一样，先将你抓进监狱，再撤掉将军官职，赶出军队，然后将你身无分文地抛到塞纳河边。就在上帝催促约瑟芬驾着马车匆匆赶到河边时，远远地听到"扑通"一声，你投河自尽了。

不同的人在相同的事件面前所看到的东西是不一样的，同样的事情对某些人是灾难，而对某些人却是难得的机会。

美国一家皮鞋公司为了拓展业务，派出两个推销员到了非洲的一个土著国家。经过了两个月的考察，两个人都回到总部汇报情况。

第一个人沮丧地说："算了，我看我们还是别想在那里开展业务了，那里的人都不穿鞋子，他们根本就没有穿鞋子的习惯。"

而另一个人则满脸笑容："太棒了，那里肯定是一个潜在的大市场。那里的人现在都不穿鞋子，一旦让他们改变习惯，我们就发大财了。"

公司采用了第二个人的看法，在那里开设了一家分厂，果然，没几年就取得了巨大的成功。

同样的地方，不同的眼光和看法，一个人看到了绝望，而另外一个人却看到了希望。任何人的成功都是来自于自觉自愿地去寻找机会，发挥创造力。如果你只会坐井观天，守株待兔，那么你永远只能是井底之蛙，永远逮不着那千万分之一几率的兔子。

戴芙妮的专业在这个行业里并不占什么优势，长相一般，能力也并不出类拔萃，但她进入公司后短短的两年时间里，在每一个部门都做得有声有色，每一次调动都令人刮目相看。关于她的崛起，有各色各样的版本，一言以蔽之，大家觉得是好运气眷顾了她，给了她得天独厚的机会，否则她凭什么从行政部到市场部，又到销售部，一路绿灯一路凯歌呢？

只有戴芙妮自己清楚，机会是怎么得来的。

进这家大公司的时候，专业优势不明显的她先被分到行政部，做一个并不起眼的小员工。

那个部门，能言善道、八面玲珑的女孩子和深谙权术、势利平庸的男人层出不穷。她不惹是非，只是恪尽职守。不过偶尔露露峥嵘，比如发现了别人输错了数据，她悄悄地就修正了，并不大肆渲染；领导让她做什么，她就竭尽所能，总是在第一时间做到让人无可挑剔。别人扎堆抱怨工作百无聊赖、老板苛刻、地铁太挤时，她在悄悄熟悉公司的部门、产品以及主要客户的情况。

有一次市场部经理偶尔经过她的办公室，看到她处理一件小事情时表现出的得体和分寸感，就打报告要求她去顶他们部门的一个空缺。

市场部令戴芙妮的世界骤然广阔起来。同原先一样，她的特色就是默默地努力。半年后，她的几份扎实的调查分析报告，为她赢得了一片喝彩。一年后，她已经是市场部公认的举足轻重的人物了，看到她在会议上气定神闲、无懈可击的发言，原来行政部的同事大跌眼镜。

刚刚荣升市场部经理不久，老板请她喝茶，问她愿不愿意接受挑战，去情况并不乐观的销售部。是机会或是滑铁卢，在那个时候，谁能预料呢？戴芙妮选择了前途未卜的销售部。没有想到的是，销售部的情况比想象中的还要糟糕。

戴芙妮选择了库存积压最厉害的北方公司，开始了她的第一步工作。春寒料峭，她一个人借了一辆自行车，找代理公司产品的代理商，了解产品滞销的原因。几个月后，情况就开始明显改善了。

不知情的人，当然以为她这两年走鸿运，哪里知道她一天下来腰酸背痛的艰辛。

没多久，她被调到大客户部。那些自我感觉良好的客户，哪里是打打电话就可以热络得起来的？三个月里，她学会了打高尔夫球和卡拉OK里最受欢迎的二重唱。

第一张大单子是去拜访某局长时，偶然听到他同业内另一位局长在打电话，谈论第二天去某风景点开会的消息。戴芙妮回公司后做的第一件事情，就是查了他们在那里入住的酒店。第二天傍晚，一身旅行装束的戴芙妮与局长们相遇在酒店大堂里，她是来自助旅游的，虽然醉翁之意不在酒，但谁也没有看出来，或者说年长的局长们涵养好，不忍心揭穿她。

几天下来，他们邀请她一起参加活动，唱歌、打牌、聚餐。再后来，认识她的人同她关系更密切了，不认识她的人也慢慢接纳她了，她的客户名单上增加了强势的一群人。第一张大单子就在半年后出现在这群人中。

关于机会，戴芙妮最有感触：机会来的时候，并不会同你打招呼，告诉你——我来了，千万不要错过我啊。不疏忽平时的每一个点滴，做好每一件不起眼的小事，就是在为自己创造最佳的机会。机会肯定不是等来的，你有心，它无声，你真正准备好了，它就真的来了。

当一个人在内在力量的驱动下，将个人的发展机会置于某种挑战、争取的过程中，他就获得了与整体一同成长的机会。

说白了，机会就好像是“烫手的山芋”，对于有能力、有胆量的人，就可以成功把握住，但是对于那些不善于发现并且不懂得提高自己的人，当他们面对机会的时候，要么是视而不见，要么是无从下手。

机会的把握能力和个人心理素质、工作能力、适应力、学识等等都是分不开的。

在这个知识与科技发展一日千里的时代，随着知识、技能的折旧越来越快，不通过学习、培训进行技能更新，适应性自然会越来越差，而老板又时刻把目光盯向那些掌握新技能、能为公司提高竞争力的人。只有不断学习，不断地充实自己，不断追求成长，才能使自己在工作中始终立于不败之地。

机会不会主动地找到你，你必须不断而又醒目地亮出你自己，吸引别人的关注，才有可能寻找到机会。但是第一步必须让人发现你，进而赏识和信任你。因此，你必须勇于尝试，一次次地去叩响机会的大门，总有一扇会为你打开的。

真正懂得把握机会的人，哪怕是在闲暇的时光也是可以发展自我的。

美国副总统亨利·威尔逊出生在一个贫苦的家庭，当他还在摇篮里牙牙学语的时候，贫穷就已经威胁到了他的基本生存。威尔逊 10 岁的时候就离开了家，在外面当了 11 年的学徒工，每年只能接受一个月的学校教育。

在经过11年的艰辛工作之后，他终于得到了1头牛和6只绵羊作为报酬。他把它们换成了84个美元。他知道钱来得艰难，所以绝不浪费，他从来没有在娱乐上花过一个美元，每个美分都是经过精心算计的。

在他21岁之前，他已经设法读了上千本好书。这对于一个农场里的孩子来说，是多么艰巨的任务啊！在离开农场之后，他徒步到100英里之外的马萨诸塞州的内蒂克去学习皮匠手艺。他风尘仆仆地经过了波士顿，在那里他可以看见邦克希尔纪念碑和其他历史名胜。整个旅行他只花费了1美元6美分。在他度过了21岁生日后的第一个月，就带着一队人马进入了人迹罕至的大森林，在那里采伐圆木。威尔逊每天都是在天际的第一抹曙光出现之前起床，然后就一直辛勤地工作到星星出来为止。在一个月夜以继日地辛劳努力之后，他获得了6美元的报酬。

在这样的穷途困境中，威尔逊先生下定决心，不让任何一个发展自我、提升自我的机会溜走。很少有人能像他一样深刻地理解闲暇时光的价值。他像抓住黄金一样紧紧地抓住了零星的时间，不让一分一秒无所作为地从指缝间白白溜走。12年之后，他在政界脱颖而出，进入了国会，开始了他的政治生涯。

什么是机会？机会不仅仅是自动撞上树桩的兔子，当然，我们承认世界上有天上掉馅饼的事情存在，但是这样的机会毕竟微乎其微。机会是时间，是知识、是勇气，甚至是失败和痛苦。机会的本质在于不断进取，一个没有进取心的人永远不会得到成功的机会。

### ◆ 狼的自述

要想获得食物，就必须一直寻找，只有这样，才有机会。不要气馁，就算找不到肥羊，至少能找到一只兔子。

# 第5章

# 以智取胜　代价最小

狼是最凶猛的动物之一，同时也是最富有智慧的动物之一。狼是如此地有“心计”：它不会在自己弱小时攻击比自己强大的东西，但一旦时机成熟，它便会跃然而起，而且不达目的誓不罢休；它知道如何用最小的代价换取最大的回报——狼在追捕兔子的时候，能知道兔子第七步跳的位置，所以就扑向那里“守株待兔”，往往能捕到兔子；它会在小狼有独立能力的时候坚决离开它，因为狼知道，如果当不成狼，就只能当羊了。狼的处世哲学，带给人类许多有益的启迪。

## 狼智无双——头脑之师

上兵伐谋。

——《孙子兵法·谋攻》

狼之所以成为狼，拥有智慧是至关重要的。狼知道，只有拥有深刻的思想和不凡的智慧，处世才能得心应手；否则就会成为没有自己思想而盲目劳作、盲目顺从的奴仆。可以说，狼是动物中拥有极高智慧的动物，它们是典型的“靠头脑吃饭的人”。

在人生的赛场上，智力胜于实力。

2003年法国网球公开赛的女单决赛成为智慧的比拼。在比利时“德比”战中，除了耐力，克里斯特尔斯哪方面都比海宁强，但笑到最后的依然是海宁，因为她更有心计。2004年的“俄罗斯大满贯”同样如此,心智将决定一个人能在多大程度上发挥出技术、体力优势。

与“克里斯特尔斯VS海宁”相比，“俄罗斯德比”甚至更加惨烈。德蒙蒂耶娃和米斯奇娜都是22岁，而且都是莫斯科人，她们需要赢得的，不仅是“国家德比”，而且是“城市德比”。这种气氛，在半决赛中已经营造出来了。决赛中，它不可避免地将决定胜负走势，可以预见，谁对场内气氛和场外诱惑的抵抗能力更强谁就是胜者。

从技术上说，德蒙蒂耶娃略逊一筹。米斯奇娜的技术更为全面。她不仅打得更有章法，而且，每当出现情绪波动或低谷时，她的教练都能适时地提供帮助。从这个层面上看，米斯奇娜应当是胜者。

但绝不可忽视德蒙蒂耶娃。半决赛中她不断地自言自语，就是为了稳定情绪；无数次弯下腰去，甚至蹲到地上，似乎体力已经耗尽了，实际上她只是为了打乱对方的节奏，并让自己紧张的神经松弛下来。毕竟，她的比赛经验要比米斯奇娜丰富。至少在“心”上，她并未输给米斯奇娜。

脚勤、手勤、口勤、耳勤、眼勤都重要，但脑子勤最重要。拿踢足球来说，用脚踢足球的人与用眼睛踢足球的人不一样，而用眼睛踢球又与用脑踢足球不一样。用眼睛看东西只能看到一面或两面，用脑子看东西就能够看到六面——上、下、左、右、前、后。同样用脑子，有人只能想一步两步，有人能够想五步六步，而且能够成为习惯。所以一个成功者的习惯就是在开口问的时候，先用自己的脑子想一想，自己有了答案以后再问，问人仅仅是与人家确定一下，头脑长在自己的肩膀上，而不是人家的肩膀上。

此外，狼者做事还应具备“多向思考力”。我们每天90%的行为都是自己的思维定式，可以说，几乎每天，所做的每一件事，都是被你的思维限制着的。在我们的身上，好的思维方式与坏的思维方式并存着，那么，唯一能够有效改变我们生活的手段就是去有效地改变我们的思维方式。

被称为是“德国的卡耐基”的埃里希·E·勒让（Erich J. Lejeune）于 1944 年出生在慕尼黑附近的小镇弗莱辛，他的第三个工作是在一家有名的经营电视机天线和电器产品进出口业务的电器公司。他对公司的老板很钦佩，视他为偶像和榜样，然而老板却私下涂改伪造账单发票，将公司拖入绝境。勒让临危受命，被老板聘为合伙人出面参与公司的改组整顿。为了挽救公司，勒让接受了这一委托，并且同意在合同中加上“如果离开公司，在以后的两年之内不得在电器行业从业”的限制条款。然而，就在 1976 年年初公司重见光明前景之际，他却被这个嫉妒心很重的老板炒了鱿鱼。这一年的秋天，勒让接连遭到三次重大打击：妻子带着全部家具搬离了他们共同的住宅；外祖母因病去世；慕尼黑高级法院驳回他对老板违约的上诉，他的债务和律师费用高达六位数。后两个消息同日到达，几乎使勒让失去了生活的信心。他绝望地来到慕尼黑大黑塞罗桥桥头，这座桥在当地被称作是“末日之桥”。但是他最后并没有从桥上跳下去，而是钻进一辆向朋友借来的汽车，开到外祖母生前常去的一个疗养地，在一座教堂旁边停下，睡了一大觉。清晨，他醒来之后，又重新考虑了一下自己的处境，毫无顾忌地大哭了一场，泪水不仅洗涤了他的灵魂，而且冲走了过去 24 小时里蒙在他心上的负疚。突然之间，他的脑海中形成了未来的计划，生活的勇气和奋斗的激情又回到了他的身上，他准备去拼搏一场。

在市场调研和自我认识的基础上，勒让发现了一个市场缺口和难得的机会：德国电子工业对集成电路的需求主要依靠美国和日本在德国的分公司供货，他们很少有机会直接在美国和日本以优惠的价格采购。另外，在新旧产品交替时期，新的产品虽然势不可挡，但是旧的零件仍然还有需求的市场，可是很少有人知道哪儿可以得到，哪儿还有库存。勒让将公司的业务重点定位于集成电路元件的代理商，试图将一个在他脑海里萦绕多年的梦想变成现实：将代理体系引入德国，以自由合理的价格，在整个集成电路市场创造了一个全新的市场环节。这一举措使他成为集成电路代理商这一行业的先驱之一，后来的市场发展证明，代理商这一行业是介于生产厂家和用户之间的第三种力量。他立即去美国微电子工业的麦加——硅谷，在那里成立了CE美国公司，同时又在日本东京成立CE公司东京分公司，逐步在美国和日本建立起了两个业务信息网，借此掌握世界集成电路市场的最新动向，及时以最优惠的价格采购和销售各种电子元件，与此同时在当时对“集成电路”还很陌生的德国展开大规模的宣传和促销活动，举办了数百场报告会，介绍微电子工业对德国经济的重要影响，在专业杂志上登广告，介绍微电子产品的性能，使得集成电路在德国逐渐为人们所知晓。勒让本人也因此被人们称为“集成电路先生”。

勒让以自己的亲身经历为例，指出每个人都有成功的可能，重要的是要改变旧的思维方式。正是由于有狼的强势存在，其他野生动物才被迫进化得更优秀，以免被狼淘汰，狼使生态处于一种平衡状态。正所谓“劳心者治人，劳力者治于人。”

### ◆ 狼的自述

斗勇更斗智，请用脑子来游戏。

## 声东击西——迂回策略

明修栈道，暗度陈仓。

——《三十六计》

声东击西是狼在捕食时常用的策略之一。一旦发现鹿和野牛等大型猎物的踪迹后，狼就会先孤立老弱病残的猎物，然后四面包抄围攻猎物，使其顾此失彼，进而一哄而上将猎物杀死。

声东击西是忽东忽西、即打即离、制造假象，引诱敌人做出错误判断，然后乘机歼敌的策略。为使敌方的指挥发生混乱，必须采用灵活机动的行动，本不打算进攻甲地，却佯装进攻；本来决定进攻乙地，却不显出任何进攻的迹象。似可为而不为，似不可为而为之，敌方就无法推知己方意图，被假象迷惑，做出错误判断。

台湾被荷兰殖民者统治了数十年，民族英雄郑成功立志收复台湾。1661 年 4 月，郑成功率两万五千将士顺利登上澎湖岛。要占领台湾岛，赶走殖民军，必须先攻下赤嵌城（今台南安平）。郑成功亲自寻访熟悉地势的当地老人，了解到攻打赤嵌城只有两条航道可进：一条是攻南航道，这条道港阔水深，船只可以畅通无阻，又较易登陆。荷兰殖民军在此设有重兵，工事坚固，炮台密集，对准海面；另一条是攻北航通，直通鹿耳门。但是这条航道海水很浅，礁石密布，航通狭窄，殖民军还故意凿沉一些船只，阻塞航道。他们认为这里无法登陆，所以只派少量兵力防守。郑成功又进一步了解到，这条航道虽浅，但海水涨潮时，仍可以通大船。于是决定趁涨潮时先攻下鹿耳门，然后绕道从背后攻打赤嵌城。

郑成功计划已定：首先派出部分战舰，浩浩荡荡，装作从南航道进攻。荷兰殖民军急忙调集大批军队防守航道。为了迷惑敌人，郑成功的部队声威浩大，喊声震天，炮火不断。这一下，郑成功非常成功地把殖民军的注意力全部吸引到了南航道。北航道上一片沉寂，殖民军以为平安无事。南航道激战正酣，在一个月明星稀之夜，郑成功率领主力战舰，悄无声息地，乘海水涨潮时迅速登上鹿耳门，守军从梦中惊醒，发现已被包围。郑成功乘胜进兵，从背后攻下赤嵌城。荷兰殖民军狼狈逃窜，台湾又回到祖国怀抱。

在商场中，声东击西，不过早地暴露自己是谈判艺术之一。商务谈判开始，一般只是谈商品质量、数量和价格等双方交易的主要条件。其他条件如保险、支付、仲裁、索赔以及检验等根据以往交易传统来履行。谈判人员不要过早地暴露自己产品的价格，要避免过早地同对方讨论价格问题，因为不论你的价格多么合理，只要对方购买这种产品，就要付出一定的代价。因此，应该在顾客对产品价值有所认识后，才能同他们讨论价格问题。我们应该做的是：不要让客户首先考虑产品的价格，要把他们的注意力引到产品的价值上来，也就是说，谈话应首先集中产品的价值这一问题上，而不是单纯地谈价格；如果一定要谈价格，就要连同价值一并提出，获得对方订货单据的决定性因素，应让对方看到他们将要得到的好处，而不是他们所付出的代价。

弗雷德·罗杰是一位销售经理，为新泽西的某个皮革公司搞推销，公司已经生产即将出售的新产品，这是一种加工成带状的皮革制品。他访问一个顾客，问："你认为这产品如何？""啊，我非常喜欢它，但是我猜想您现在会告诉我它是非常贵的，我应该为它付出一个荒谬的价格，在您之前，我全听说了。""您告诉我。"弗雷德·罗杰斯说，"您是一个有贸易经验的人，您和别人一样懂得皮革和兽皮，您猜想它的成本是多少？"

那人受了奉承，回答他说他认为可能是45美分一码。

"您说得对。"

弗雷德·罗杰斯用惊奇的眼光看着他说："我不知道您是怎样猜到的？"

销售经理以45美分一码的价格获得了他的订货和随后的重复

订货，双方对事情的结果都很满意，弗雷德·罗杰斯决不会告诉他公司最初给产品的定价是 39 美分一码。

在介绍价格的时候，必须让别人看起来价格比较低，但你向他介绍好处的时候，就必须使他们看起来好处比较多。

一个药品公司出售一种特别昂贵的兽医外科用药，它的价格与竞争的对手比起来高得吓人。但是推销员问兽医，每次的用量是多少，然后告诉对方，用他们的产品每头牛仅多花 3 美分，那真算不了什么，但是它的效果却是同类无法相比的。这样介绍价格使人易于接受，但如果他们说每包多 30 美元，那听起来就是一个很大的数目，很可能把顾客吓跑了。

还可以推开价格，在时间上延伸。

“您现在的车每天用多少小时？”

“6 个半小时。”

“啊，如果您买我们的，那么在机器的整个使用寿命期间，您可以得到全部的额外的机动性，更大载重能力和更安全、更舒适的驾驶室，每小时仅花 6 美分，一个月仅仅多花费 20 美元，20 美元能买到什么。在普通的一个饭馆里一顿两人便餐，您对此不会有什么抱怨吧。”

这一策略在于把对方的注意力用在我方不甚感兴趣的地方，使对方增加满足感。这是谈判中常常使用的重要策略之一，它能使我方与对方保持良好的关系，在谋得我方利益的同时，使对方也感到最大的满足。

作为一位成功的谈判者，先决条件就要弄清谈判的目标，并在谈判过程中时刻不忘谈判的主要目的。在同对方的谈判中，却要把自己的目标隐蔽起来，把一些次要的问题渲染成很重要的问题，而让对方多占些便宜，你也表示很“勉强”地让步。如，我方得知对方最注重的是价格，而我方最关心的是交货时间，那么我们进攻的方向可以是支付条件问题，这样就可以把对方的注意力引到次要问题上，以实现我方最终要达到的目标。这种策略如果运用得很熟练，对方是很难反攻的，它可以成为影响谈判的积极因素，而不必冒重大的风险。

在商业竞争中，采用声东击西策略也不失为一记妙招。

一条街上有两家电影院，在市场不太景气的情况下，两家影院的老板都在使出浑身解数争揽顾客。路南的影院推出了门票八折优惠，路北的影院接着就来了个五折大酬宾。对于顾客来说，同样的情况下当然都愿意去花钱少的影院，于是路北影院生意兴隆，路南的影院门可罗雀。

路南影院的老板不甘坐以待毙，于是一赌气，干脆来了个“跳楼大甩卖”——门票打两折。按照当地消费水平和行业常规，影院门票五折以下已经毫无利润可言了，路南影院打两折的目的是为了把对手彻底挤掉，然后好再进行“价格垄断”，谁知他们刚刚把顾客拉过来，路北的影院接着就推出了门票一折优惠，并且每人另送一包瓜子。

乖乖，哪有这样做生意的？！一包瓜子少说也得1元，这等于是白看电影呀，路北影院的老板是不是疯了？路南影院的老板惊得直吐舌头。但顾客可不管老板是不是疯了，有这样天上掉馅饼的好事绝对不能错过，于是顾客纷至沓来，影院天天爆满。

这回路南影院的老板实在没有勇气继续竞争了，便宣告倒闭，关门了事。

大家都以为路北影院这时会恢复竞争之前的价格，但这个送瓜子的“赔本生意”却一直坚持了下来。

半年多的时间过去了，路北影院的老板买了奥迪轿车，房子也换成了高档别墅，一副发了大财的样子。原路南影院的老板对此百思不解，为了弄清真相，便通过朋友打探路北老板的经营秘诀。

在费了一番周折之后，他终于弄清了事情的真相。路北影院一元的票价要赔钱，送瓜子更是赔钱，但送的瓜子是老板从厂家定做的五香瓜子，看电影的人吃了瓜子后，必然会口渴，于是老板便派人不失时机地卖饮料，饮料和矿泉水的销量大增——放电影赔钱，送瓜子赔钱，但饮料却给老板带来了高额利润。

这家影院老板实际上是采用了“声东击西”的赔钱术。商海中有人赚钱在明处，有的人则像这位影院老板一样，采用了隐藏利润点、迂回赚钱的策略。利润点隐蔽得好，顾客认为你做的是“赔本生意”，他便会觉得自己花的钱值，从而也就会痛快地掏腰包。声东击西、闷声发财实际上蕴含着科学经商的大智慧。

由声东击西战术我们可以总结出一个理论——相反理论。相反理论的论据就是在市场行情将转势、由牛市转入熊市前一刻，每一个人都看好，都会觉得价位会再上升，无止境地升。大家都有这个共识时候，大家会尽量买入了，升势消耗了买家的购买力，直到想买入的人都已经买入了，而后来资金却无以为继。牛市就会在大家所有人看好声中完结。相反，在熊市转入牛市时，就是市场一片淡风，所有看淡的人士都想沽货，直到他们全部都沽了货，市场已经再无看淡的人采取行动，市场就会在所有人都沽清货时见到了谷底。大众全面看好，就要看淡，大众看淡反而是入市时机。

相反理论带给投资者的信息十分有启发性。首先，这个理论并非局限于股票或期货，其实亦可以运用于地产、黄金、外汇等。它是指示投资者的一个时间指针——何时离市、何时是机会。

相反理论更加像一个处世哲学。古今多少成功的人士，都是超越了他们同辈的狭窄思维，即使面对挖苦、讽刺、奚落、遇到白眼闲言，仍然一往无前向自己目标迈进，才成为杰出人物。人云亦云，将会是在人海消失的小人物。因此人们在生活中应该：

（1）深思熟虑，不要被他人所影响，要自己去判断。

（2）凡事物发展，并不一定好似表面一样，你想象上升就一定是升。我们要高瞻远瞩，看得远，看得深，才会取得胜利。

（3）一定要控制个人情绪。

（4）当事实摆在眼前和希望并非与现实相符时，要勇于承认错误。普通人总不免会犯错误。只要肯认输，接受失败的现实，不自欺欺人，将自己从普通人中提升为有独到眼光见解的人，才可改变自己为成功人物。

在社会生活中，大部分人都是追随者，见好就追入，见淡就看淡。只有少部分人才是领袖人物。领袖人物之所以成为领导人，皆因他们的见解、眼光、判断能力和智慧超越常人。也只有这些异于常人的眼光和决策才可以在角力中脱颖而出，在游戏中成为胜利者。

### ◆ 狼的自述

两点间的曲线有时比直线更短。

## 避实击虚——蚕食策略

积小胜为大胜。

——《孙子兵法》

在荒原上，一群狼突然向驯鹿冲去，使驯鹿聚成一群奔跑以确保安全。这时，狼群中的一匹狼斜刺里冲到鹿群中，抓破一头“锁定”的驯鹿的腿，随后这头驯鹿又被放开归队了。这一幕一遍又一遍、一天又一天地重演着，狼群耐心地等待着时机，受伤的驯鹿渐渐失掉大量血液、力气和反抗的意志。狼群定期更换角色，由不同的狼来扮演“剑手”，使这头可怜的驯鹿旧伤未愈又添新创。狼群最终胜利的形势越来越明显了。最后，当这头驯鹿已极为虚弱，再也不会对狼群构成严重威胁时，狼群便开始出击。

为什么它们不干脆直接进攻结果了那头驯鹿呢？因为像驯鹿这样体型较大的动物，如果踢得准，一蹄子就能把比它小得多的狼踢翻在地，非死即伤。狼群避实击虚，以蚕食的策略最终捕到了猎物。

这一招在市场竞争中，就是要深入研究对手的弱点，及时攻击竞争对手的软肋部位。正如《孙子兵法》中所讲的，在战争中要避开敌人的主力，攻击其薄弱环节：“夫兵形象水，水之形避高而趋下，兵之形避实而击虚。水因地而制流，兵因敌而制用。”

美国著名企业家亚默尔原来是一介农夫，他卷进了当时美国加州的淘金热潮。当在山谷难圆黄金梦时，他注意到矿场气候干燥，水源缺乏，淘金者很难喝到水，甚至有饥渴难耐的淘金者声称：“给我一杯清水，我愿用一块金子来换。”于是亚默尔决心转移目标——卖水，只要把水运到矿场，便可赚大钱。他用挖金矿的铁锹挖井，挖出的不是黄金，而是地下的水。他把水送到矿场，受到淘金者的欢迎。亚默尔从此走上了发迹之路。

无独有偶，李维公司的创始人李维·施特劳斯也投入到这股淘金热中，并获得了他的第一桶金，但这桶金并非来自金矿，而是来自牛仔裤。当李维·施特劳斯乘船到旧金山开展业务时，带了一些线团之类的小商品和一批帆布供淘金者搭帐篷，下船后巧遇一个淘金的工人。李维·施特劳斯忙迎上去问：“你要帆布搭帐篷吗？”那工人却回答说：“我们这需要的不是帐篷，而是淘金时穿的耐磨、耐穿的帆布裤子。”李维深受启发，当即请裁缝给那位“淘金者”做了一条帆布裤子。这就是世界上第一条帆布工装裤。如今，这种工装裤已经成了一种世界性服装——Levis牛仔服。牛仔裤以其坚固、耐久、穿着合适获得了当时西部牛仔和淘金者的喜爱。大量的订货纷至沓来。李维·施特劳斯于1853年成立了牛仔裤公司，以“淘金者”和牛仔为销售对象，大批量生产“淘金工装裤”。其品牌延续至今，仍是牛仔服世界第一品牌。

从亚默尔和李维的发财经历中我们可以得出一个结论：在前一条路走不通的时候，换个角度看问题，从习以为常的事物中发现新的路径。这两人改变了自己旧有的两个想法：（1）只有淘金才能发财；（2）要发财就必须发大财。他们选择了卖水与卖裤子这两条路。卖水卖裤子虽然赚钱少，但不需要多少本钱，而且竞争者少，市场容量大，积少成多，照样可以发大财。在市场过热时，开发相邻行业，避实击虚，此一计也。

避实击虚，是以较小的代价赢得竞争优势的第一选择，又是以弱胜强的最佳选择。

1960年美国大选，竞选总统的肯尼迪，经历上唯一突出之处是在国会中当过14年议员。而他的竞争对手尼克松，担任副总统已达8年之久，早在全国树立起自己的形象，在国际上也有广泛联系。肯尼迪承认，那是个相当难对付的人。

当了8年副总统的尼克松当然要宣扬自己的政绩，他一有机会就谈美国的领导地位、实力及经济状况，谈得乐观和令人安心。肯尼迪才不会在对方选定的战场上作战，他要开辟自己的战场。他知道怎样回答，他说，尼克松谈这些“正是使我们走不到一起的基本分歧点”，他说，这是“安于现状的人们和关心现状的人们之间的一场争论”。

新战场一开，一下子就给尼克松扣上顶“安于现状”的帽子，逼得他处于守势，一下子就搅乱了体验过尼克松政绩的选民的心理平衡。肯尼迪站在高坡上，挥手指方向，现在要“关心现状”，他大谈各方面对美国的安全、威望和进步的挑战，一次又一次宣称："现在是使这个国家再度行动起来的时候了！"他大声呼吁美国人民进行选择，不是在两个人之间选择，而是在"民族的伟大坚强和民族的没落衰微之间，在进步的清新空气和按部就班的陈腐、阴湿空气之间进行选择"。

肯尼迪以对自我满足的批判、对行动的渴望、对建立一个更富有活力的美国的许诺赢得了青年人的心。而在 20 世纪 60 年代初，美国人口的半数都在 30 岁以下，青春成为崇拜对象，年轻人被认为是文化的引路人，又带动赢得了一大批选民。结果，参议员肯尼迪战胜副总统尼克松而入主白宫。

我们平时所说的"逆向思维"其实也是这个道理。这是一个思维定式和一个思想方法的问题，但就是这个"思维定式"或"思想方法"的正误，往往在我们的处世和经营活动中起着举足轻重的作用。错位竞争属于逆向思维的一种操作方式。所谓"错位竞争"，用厂家和商家通俗的语言来表达，就是：你干这一行，我干那一行；你这么干，我那么干。与低层次的价格竞争相比，错位竞争因其独特的、出其不意的竞争理念而别具一格，因而其竞争空间愈加广阔，更加容易收到事半功倍的效果。

在以上事例中，对手的"虚"已经存在，要做的只是把它"寻找"出来集中攻击。但有时候对手的"虚尚"不存在，那就先得把它"制造"出来。你能让对手在某些方面引起了公众的不满，那"虚"就被你"制造"出来了。

1964 年美国大选，共和党候选人是出名的强硬保守派戈德华特，他甚至主张使用原子弹，提议在越南的补给线上使用小型原子武器，给予北约组织以战术核武器对抗苏联，他还说过什么"往克里姆林宫的男厕所里扔进一个又如何如何"，这些言论得到极右派的狂热拥护。

戈德华特只是个参议员，他以前的政绩没有激起公众强烈的不满之处，这方面的“虚”不存在或不明显。他主张使用原子弹又是针对苏联或中国，与美国人民关系不大——何况还有些人拥护他。没有虚就得制造出虚来。戈德华特这次碰到个“克星”，主管民主党竞选宣传的是家大广告公司的老板，他懂得沟通就是要讲公众自己的事，要强调使用原子弹对美国公众的危害。一个叫“采雏菊的小姑娘”的宣传广告打响了第一炮。

电视屏幕上出现了一个天真可爱的小女孩，一面采摘雏菊的花瓣，一面咿呀学语地数着数儿：“1、2、3、4、5……”忽然，一片宁静的景象背后响起了一个沉重冷酷的、压倒了这个小女孩的声音的指挥放原子弹的男低音：“5—4—3—2—1—放！”接着一声震天的巨响，蘑菇云冉冉升起，笼罩了整个屏幕……广告未加任何说明，但使人惊心动魄的声、光、画面比任何语言都更有力地传达出信息：戈德华特要使用原子弹，他会杀害我们可爱的小姑娘！

这个广告是制造“虚”并集中攻击的好例子，它关键是把国际事务——那对美国选民太遥远了，转变为国内事务——那与每个选民的日常生活相关。戈德华特没有现实存在的公众不满，那就去强调他将会带来的危险，把公众的不满刺激出来。

10天后，电视上又出现了广告，一个安琪儿样甜美活泼的小姑娘，无忧无虑地吃着冰淇淋，这时，响起了慈母的画外音，告诉人们核污染对孩子是多么有害。然后，又用唱摇篮曲的声调说：“有那么一个人，他想当美国总统，他要试爆更多的原子弹，他的名字叫巴里·戈德华特……”共和党人对这些广告气得要死，但戈德华特又确实说过要使用原子弹，他们反驳也无法反驳，只好打出宣传标语——“你心里明白他是对的”。民主党人恶意地讥讽说：“你心里明白，他是会那么干的……”

民主党还寻找出戈德华特在其他地方说过的社会保险无用的言论，制造出这样一个电视广告：一些脱离了躯体的粗大手指在撕扯一张社会保险卡——你的社会保险卡！背景里有一个声音在重复戈德华特关于社会保险无用的话。社会保险问题影响到一亿美国人，要找到一个比它更使人关心的问题怕是很难的了。这个广告使戈德华特成了老年人的敌人——而大家知道老年人是有投票权的。戈德华特就被这些攻击整得“下了课”！

寻找或制造对方的弱点其实都是相对而言，大致说来，寻找是寻“已有”，制造是造出“前所未有”。但是，对已有的弱点突出强调时，那先前的弱点已被扩大、加深了，更引人注目，更加令人不能忍受了，在公众心目中，它已经成了以前还没注意到的对手的新弱点。制造也不是凭空制造，总得先寻找出可能与公众的切身利益挂上钩的制造材料。也就是说，寻找中也有制造，制造中也有寻找，两者不可能也不必截然分开。

### ◆ 狼的自述

如果“不战而胜”是你的战略目标，那么“避实击虚”就是达到这个目标的关键。通过集中你的资源来攻击竞争对手的致命弱处，你就会获得成功。

## 十面埋伏——封堵策略

小敌之坚，大敌之擒。

——《孙子兵法·谋攻》

狼群一般极有耐性，后力绵长，若是在草原上遇见猎物，绝不贸然扑上，而是四处围堵，疑兵四伏，四面袭扰，让猎物们草木皆兵，直至猎物精疲力竭后方才大举压上，群起而噬；一旦发动最后的猛攻，每一匹狼都凶猛异常，绝不半途而废。

在秦末楚汉战争中，刘邦在汉军形势不利的情况下，听取张良的计策，将楚后方之地分封给诸侯，诱使其合力攻楚。项羽缺少范增这样忠心耿耿的谋士辅佐，成了真正的孤家寡人，从而在军事上节节失败，处处碰壁。楚汉两军力量消长的天平逐渐偏向刘邦一边。公元前202年，韩信设下十面埋伏之计，各路诸侯会战垓下，连项羽军主力项布都背叛了他而参加了围剿。项羽虽然冒死率亲兵左冲右突，却势单力薄，难以脱身。夜晚降临，风声鹤唳，四面楚歌，使得他从江东带来的八千子弟兵军心涣散，斗志全无。最后，项羽只落得个“霸王别姬”和“自刎乌江”的悲惨下场。

在当今的市场竞争中，“埋伏营销策略”屡获成功。

一些著名跨国公司，像柯达、麦当劳、IBM等，大多乐意花大价钱赞助大型活动，每逢奥运会举行，便会倾力争夺赞助权。但是，也有相当一部分头脑灵活的公司并未花费数千万美元去争当奥运会的指定赞助商，却同样达到了在奥运会期间提高企业知名度的目的。这是耐克首创的“埋伏营销策略”。根据广告专家认为，广告的效用并非取决于广告花费的多少，NIKE常在奥运会前后大打广告，让人误以为这是奥运会的宣传广告。还有一些厂商的广告会在非奥运频道多次亮相，观众在从奥运节目转换频道时，看到这些广告，反而会留下更深刻的印象。在长野冬奥会结束后，芝加哥广告公司曾对512名消费者进行了调查，结果在被消费者认定的20个奥运赞助商中有11家并未参加赞助，而且有一家指定赞助商的公众知晓率只比同行业一家非赞助商高了10%不到。

在20世纪六七十年代，“以多围少、以小打大、以弱胜强”的专利发展战略和市场竞争战略为日本创造，其实这里面体现着十面埋伏谋略的精髓，现在已经成为经典的专利弱者反抗战略。

20世纪六七十年代，日本企业开始大量出口产品，当时日本企业没有核心技术和专利。当竞争对手有一个关键的、关于某项产品的基本原理的核心专利时，日本企业就会围绕该核心技术开发出一系列的专利，每一个专利都有不同程度的改进。这些改进专利覆盖了将该核心技术投入商业应用时可能采用的最佳产品结构。这样，它们给原技术的所有者对该技术的有效利用造成了困难，然后专利的所有者就可据此迫使对方同意交叉许可，从而获得对核心技术的使用权。

这种“木桩篱笆策略”比较直截了当。为达到此目的，技术人员与销售人员以及制造人员经常沟通是有必要的。同事间可以交换有关客户对将有关核心技术商业化的需求信息，这会对这一策略的实施十分有利。

日本的专利一向被认为是数量胜于质量。日本公司提出的专利申请一般都是较小的发明，划分得很细。以曾经一度热门的超导技术资料为例，日本公司往往就每一个小小的进展都提出专利申请，美国公司提出的专利申请却较少，但内容范围比较广泛，这就给日本企业提供了可乘之机。

一些美国专家认为，日本人的专利件数意义不大。但另外一些有识之士却认为，即使日本人的专利大多是小项目，但也会限制竞争者，并迫使美国公司把大量的专利技术让给他们，这也是同西方国家交换专利技术时日本人总是占便宜的原因。

在20世纪末，中国台湾富士康、鸿海和韩国三星跟踪国外企业的核心技术，大量部署外围专利，也创造了可靠的杀手锏。

在时尚的动漫产业也是埋伏重重。未来2～5年是中国动漫市场崛起的时期，具有1000亿元的空间，此刻正是投资获利的好时机。国内首屈一指的动漫连锁商——动漫一郎在其发展动漫连锁加盟事业中就采用了埋伏式的“窄告”网络推广。

在推广过程中，“动漫一郎”进行了其产品分类，包括动漫礼品、时尚文具、学习用品、办公用品、时尚饰品、居室装饰、体育用品、日常用品等系列，他们指定了不同的关键词组合，比如“动漫”“时尚”“装饰”等。这样，它们的“窄告”就会恰如其分地在我国上千家网站出现，而且完全和漫画、动漫的主题相关。用户点击之后，就能够直接看到“动漫一郎”的加盟电话。在短短不到一个月时间内，“动漫一郎”的“窄告”投放效果非常明显，虽然有4部招商电话，但还是出现了打不进去的情况。

“动漫一郎”的战略就是要做好网络营销的渠道布局，一是要实现全面撒网、全面围堵竞争对手，赢得更多的代理商和青少年用户，尽可能地在不同的网站、多个网站进行广告投入；另外一点则是要实现广告之间的关联，也就是以一个关键词将广告串起来，这样才能真正地实现一网打尽。

利盟进入中国市场，抢夺惠普、爱普生和佳能三家的市场份额，采取的也是十面埋伏之计。

从1999年下半年开始，利盟选择了与拥有最强大网络资源的联想进行合作，开始家用喷墨打印机的捆绑销售。2002年，又与

DELL 展开合作。

这也许是个迫不得已的举动，但是对抢占市场份额很有帮助。因为当时在中国，打印机的经销商都有这么一条不成文的规定，经销商一旦成为某一产品的代理，就不能再接受其他品牌。很显然，中国只有惠普、爱普生和佳能三种产品，经销商也是他们的。利盟只能另辟蹊径，寻找自己的出路。

此外，在营销上这也是一种有效的拦截手段。很明显，当它通过捆绑式销售，每卖出一台打印机就意味着对手少卖一台。而且众所周知的是，打印机生产商并不通过打印机本身赚取利润，耗材才是最大的利润来源。

事实上，从 2001 年开始，当利盟在中国逐步站稳脚跟后，打印机的销售渠道也在悄然变革，利盟把渠道分为四个类型，即传统打印机渠道、OA 渠道、卖场和 DIY 渠道。跟其他品牌不同的是，利盟比较着重开发 DIY 渠道。

从 2005 年开始，利盟开展了一系列的渠道深耕，主要内容包括：与中国大中城市代理商产生广泛的接触，实现建设性的商务联系，共同探索中国区域市场发展趋势及渠道生存战略，分析消费者需求的阶段性发展，尝试为相应的市场提供适宜的产品及服务，帮助各地经销商全面认识利盟，体验利盟商务战略及产品技术所具有的渠道合作价值。利盟还将进行两个引人注目的重大调整。其中一个即“在渠道市场方面，利盟正在进行更扁平化、更垂直化的调整。吸引一流的总代理，吸引大客户，创造销售势能”。

十面埋伏式的活剧每天都在上演着，而对于那些针对我们布下的重重埋伏和陷阱，我们应注意提防，及时找出解决之策。

在合法经营的正规商家面前，消费者等同于“上帝”，然而在一些不法经营者的眼里，消费者却是落魄的楚霸王，于是他们设下了“十面埋伏”，非要来一场垓下决战：杂牌手机叫天不应；1元起拍卖你高价；广告写一套实际做一套；有条件的低价促销；私人档口以次充好；套你近乎骗打电话；有奖竞猜实为敛财；短信互动资费惊人；含糊报价“宰”你没商量；一条短信堕入连环套等。在这种情况下，精明聪慧的消费者当然不能坐以待毙。更为重要的是，对付重重埋伏和陷阱要防患于未然。

近期以来，随着中国能源企业海外并购步伐的明显加快，与此相关的法律业务也多了起来，法律风险将面临“十面埋伏”的局面。

一般而言，企业进行海外并购时主要在两个阶段有可能出现法律风险，一是收购阶段的风险，约占20%；二是经营阶段的风险，约占80%。收购阶段的风险主要是并购风险和政治风险。并购因采取不同形式而面临不同风险，从并购项目获得批准的难易程度方面看，收购股权的形式比资产收购简单些，但是从风险角度来看，收购股权的风险更大。因为收购股权时，被收购目标公司所有的资产包括要承担目标公司所有的债务责任、法律责任，在这方面需要做比较彻底的调查。

而仅仅重视并购前的法律风险，忽视并购后日常经营中80%的法律风险——将是企业酿成灾难的祸首。经营阶段的风险，存在于环境、知识产权、劳务、合同管理、公司治理、母公司责任等方方面面。曾参与多家企业跨国并购并有成功案例的一位研究人员对《中国经济时报》记者说：“由于文化、观念、管理方式与法律环境等方面的不同，中国企业在境外经营的难度与付出要远远高出当初的估计。这一点是那些打算进行跨国并购的企业必须要估计充分的一件事。”

不同的国际环境、不同的国家、不同的文化，会引出不同的法律风险，在能源企业的国际化经营运作中，法律问题如十面埋伏一样伺机出动。在中国国内，法律风险相对较低，但这同时也表明中国企业、法律风险的理解和对法律风险意识的缺乏，这将导致中国企业在境外上市、并购、投资过程中面临重大的法律风险威胁。

在防范风险的对策上，相对法律纠纷发生后的设法解决、有效预测和评估企业所面对的法律风险，并在事前采取适当的措施以规避可能发生的法律风险，是一条值得实践的道路。

兵法管理在企业管理和个人实践中，凡事度最难，在合理吸收兵法的管理思想外，要正确地联系企业及个人的实际，使兵法为现代管理注入真正智慧的活力。

### ◆ 狼的自述

封堵还是突围？遏制还是超越？垄断还是反垄断？生存还是死亡？这是个需要高度重视的问题。

## 走为上计——保全策略

树挪死，人挪活。

——中国格言

狼的智慧并不低，尤其是狼集结成群的时候，它们会有头狼领导着，打自己的战术，伺机而动，务必追求一击得胜，即使不能一击得胜，也会死缠烂打，只要有赢的可能性。一旦知道打不过时，三十六计中的“走为上”就是它们的首选。

走为上计，指的是敌人力量十分强大而自己处于绝对的劣势、为了保全力量以备再战而采用的计策。这时两者力量相差悬殊，由于形势所迫，不是投降讲和，必定要委曲求全，接受损害自身利益的一些条件；如果撤退，那么就可以暂避开敌人的锋芒，这样可以争取以后取胜的条件和机会。所以这时候采用走为上计，这是三十六计中“最高明的一计”。

何时走？怎样走？这里要随机应变，学问大得很。《战略考·南宋》中记载：“敌势全胜，我不能战，则：必降；必和；必走。降则全败，和则半败，走则未败。未败者，胜之转机也。如宋毕再遇与金人对垒，度金兵至者日众，难与争锋。一夕拔营去，留旗帜于营，豫缚生羊悬之，置其前二足于鼓上，羊不堪悬，则足击鼓有声。金人不觉为空营，相持数日，乃觉，欲追之，则已远矣。可谓善走者矣！”毕再遇用缚羊击鼓蒙蔽金人从容撤走的故事，显出其运用“走为上计”的高超本领。

其实，在我国战争史上早就有“走为上计”运用得十分精彩的例子。

春秋初期，楚国日益强盛，楚将子玉率师攻晋。楚国还胁迫陈、蔡、郑、许四个小国出兵，配合楚军作战。此时晋文公刚攻下依附楚国的曹国，明知晋楚之战迟早不可避免。

子玉率部浩浩荡荡向曹国进发，晋文公闻讯，分析了形势。他对这次战争的胜利没有把握，楚强晋弱，其势汹汹，他决定暂时后退，避其锋芒。对外假意说道：“当年我被迫逃亡，楚国先君对我以礼相待。我曾与他有约定，将来如我返回晋国，愿意两国修好。如果迫不得已，两国交兵，我定先退避三舍。现在，子玉伐我，我当实行诺言，先退三舍（古时一舍为三十里）。”

他撤退 90 里，已到晋国边界城濮，仗着临黄河和靠太行山的地理优势，已足以御敌。他还事先派人往秦国和齐国求助。

子玉率部追到城濮，晋文公早已严阵以待。晋文公已探知楚国左、中、右三军，以右军最薄弱，右军前头为陈、蔡士兵，他们本是被胁迫而来，并无斗志。子玉命令左右军先进，中军继之。楚右军直扑晋军，晋军忽然又撤退，陈、蔡军的将官以为晋军惧怕，又要逃跑，就紧追不舍。忽然晋军中杀出一支军队，驾车的马都蒙上老虎皮。陈、蔡军的战马以为是真虎，吓得乱蹦乱跳，转头就跑，骑兵哪里控制得住。楚右军大败。晋文公派士兵假扮陈、蔡军士，向子玉报捷："右师已胜，元帅赶快进兵。"子玉登车一望，晋军后方烟尘蔽日，他大笑道："晋军不堪一击。"其实，这是晋军的诱敌之计，他们在马后绑上树枝，来往奔跑，故意弄得烟尘蔽日，制造假象。子玉急命左军并力前进。晋军上军故意打着帅旗，往后撤退。楚左军陷于晋国伏击圈，又遭歼灭。等子玉率中军赶到，晋军三军合力，已把子玉团团围住。子玉这才发现，右军、左军都已被歼，自己已陷重围，急令突围。虽然他在猛将成大心的护卫下，逃得性命，但部队伤亡惨重，只得悻悻回国。

这个故事中晋文公的几次撤退，都不是消极逃跑，而是主动退却，寻找或制造战机。所以，"走"是上策。

当今世界巨头通用电气公司就曾运用过"走为上计"，渡过困境而后生，迅速发展壮大，成为数一数二的企业。

1980 年，当杰克·韦尔奇成为通用电气的首席执行官时，公司是个虽然牢靠但处于平均水平的美国联合大企业。杰克想扭转那种局面，所以他提出第一个挑战：通用电气要在每个行业里都数一数二，否则就退出。

这一战略遭遇对抗。有人争辩说，不是数一数二的公司照样赢利，何况，数一数二需要足够的时间。还有人说韦尔奇害怕竞争。韦尔奇答复道："有人说我害怕竞争。我觉得商人的职责之一，就是远离激烈的争斗场面，进入你能获胜的专门市场。基本目标是去除弱点,找个遮风避雨的栖身处,没人能伤害你。找人打架不是美德。万一你需要打架,你的职责就是赢。万一你赢不了,你就要找退路。”

换言之,宁肯撤退,也不能投降或失败。有时候,走为上计。

1982年,根据韦尔奇“数一数二”的战略,通用电气下狠心剥离了许多业务,换取了85亿美元的现金。通用电气用这笔现金扩展了自己胜券在握的业务。这种内部清理行动为通用电气今后20年令人敬佩的运作打下了扎实的基础。

通过采用“走为上”的战略,韦尔奇改造了通用电气。他原本可以仿效人皆所知的战略,尽可能久地延长赢利的业务。说实话,从纯数学观点来看这种战略无懈可击。从逻辑和悖理的诸多理由而言(比如,我们把“走为上”同失败联系起来),我们倾向于将业务维持得越长越好。然而,许多成功公司认为“走为上”是有利的第一步,它使我们把资源投向更有吸引力的目标上。

“时间就是生命”、“时间就是财富”,这些耳熟能详的话语用在现在的开发商身上可能很合适。如果积压的房源长期难以消化,实力较弱的开发商就面临资金链断裂的危险;开发商手中长期持有房源是有成本和风险的,将房子尽快变现或许意味着更大的财富。从国家加强宏观调控以来,上海的开发商经历了一段时间的观望,市场出现了僵持。但进入2005年五六月份以后,市场的僵局逐渐被打破,一些资金链比较脆弱或对市场认知比较深的开发商率先打破所谓的“价格联盟”,采取了“三十六计,走为上策”的方针,随后引发了许多“追随者”,降价促销从遮遮掩掩走向明朗。

经过2005年上半年的观望,大量的开发商计划在下半年的九十月份将楼盘推向市场,届时有可能掀起一波新盘上市的狂潮。成交量可能有所反弹,但价格波动等因素刚性的自主需求仍然会比较有限，像去年那种强劲反弹的局面不会出现，许多年初打算买房的消费者纷纷选择放弃今年的买房计划。供求在短时期内的严重失衡将会使开发商之间的竞争达到白热化的程度。业内一些专家认为，虽然目前是楼市的淡季，而且价格也明显滑落，但由于新推楼盘不多，反而是一个不错的销售时机。而随着一两个月后大量新盘入市，现在的“时机”也会“消失”。因此，当前剩给开发商“跑量”的时间已经不多了，跑得快的能从机会窗中爬出去，成为幸运者；跑得慢的，可能就要留下来度过漫漫的楼市调整期了。

最聪明、最有力的举措，是急流勇退。他们并不在撤退和失败之间画等号。对个人、单位是如此，对国家也是如此。我们应明白何时放弃，并选择打最能获胜之仗。这需要克服诱惑，战胜不利条件。它还让我们认识到，撤退也是一种进攻性选择，是以退为进。

然而，走为上计的保全策略也不可滥用，要三思而后行。

一次调查数据表明，有 63% 的被调查者打算近期跳槽，有 23% 的被调查者表示一定要找个更好的东家。其中，43% 的被调查者表示，选择跳槽和拿没拿年终奖没关系，“良禽择木而栖”才是他们的真实想法，人际关系紧张、工作缺乏愉悦感、行业不景气、感觉没有前途等因素，是驱使他们选择跳槽的原动力。

跳槽，多半是为了谋取更高的薪水、更高的职位或更大的发展。职业顾问提醒欲跳槽者，跳槽是职业生涯中的大事，也需要认真规划，不能头脑一时发热就做出决定，否则达不到预期效果。以下一正一反两个例子清楚地说明了这一点。

王真三年前来到上海，在一家中型公司做出纳。她工作勤奋，经常加班加点，闲余时间还积极备考 CPA 证书。不久，她的职位被升为财务，工资也翻了一倍。今年 CPA 考试一结束，王真就另谋高就，在一家外资企业担任财务，工资上涨了近1/3。王真现在还在学习经济法课程，希望三年内做到外企的财务经理。

相比之下，李庆的跳槽就没有这么成功了。他原本是某汽车公司市场部的负责人，工作一年后跳槽去了一家汽车杂志，工资涨了，工作环境好了，但媒体的快节奏让李庆感到并不轻松。半年后，他又跳槽去了一家大型办公用品公司，办公地点在郊区。李庆对此感到不满意，于是接连跳往电视台、品牌电脑公司，最后又回到汽车制造企业担任生产经理。他的跳槽经验可谓丰富，但是兜了一个大圈又回到了原点，徒劳无功。

王真有明确的职场目标，跳槽是按照自己清晰的职业规划进行的，因此效果显著。但李庆的跳槽显得非常随意，对工作有一点不满意就“走为上计”，这种跳槽不仅达不到原来的职业目标，还浪费了不少时间和精力。由此可见，采用“走为上计”要有成熟的客观条件作为前提，要充分认识和利用有利条件，走与不走，全看环境而定。“走”要走得成功，是最重要的。

### ◆ 狼的自述

应走不走，反受掣肘；当断不断，反受其乱。

# 第6章
# 风骨赫然　英雄本色

狼是高傲的动物，在风雪中穿行、在月夜里长啸，享受着自由的乐趣；狼是深情的动物，点滴之恩，往往以性命相报；狼是坚贞的动物，一身傲骨，宁死不屈；狼又是负责的动物，路行成双，不离不弃。

## 自由是狼骨子里的高贵基因

放弃基本的自由以换取苟安的人，终归失去自由，也得不到安全。

——富兰克林

一只瘦弱的老狼拖着疲惫的步子走到一座村庄旁边，看见一条壮硕的大狗。狗问狼："老兄，你怎么成这么个落魄的样子了？"狼叹了口气，说："现在生存下来可真难啊，食物难找，有时候拼了老命也弄不到一口吃的。而且草原上阴晴不定，夏天热得要死，冬天又冷得要命。这些还都好，最可怕的是还要时时防备猎人设下的陷阱，一不小心，连命都没了。我长这么大，连个安稳觉都没睡过。"

狗听了以后惊讶地说："啊？那我可就幸福多了，住在一年四季都温暖如春的房子里，而且天天都有好吃的，从来不用担心肚子的问题。"

狼的眼睛都亮了，羡慕地说："那你一定要为主人做很多事情吧？"

狗骄傲地说："什么也不用做，只要主人摸我的时候，我把头靠上去，摇两下尾巴就可以了。你如果愿意，我可以把你介绍给主人。"

狼高兴得刚要答应，却发现狗的脖子上有一条细细的铁链，一直延伸到狗窝旁边的一根木桩上，铁链周围的毛已被磨掉了很多。

"那里是……？"狼疑惑地问。

"没什么，要知道，想生活好是需要一定代价的，这点不算什么。"狗无所谓地说。

这时候，远处响起人的脚步声，狼站起来，往丛林当中跑去。狗赶忙问："别跑了，我还没跟你介绍我的主人呢！"

"还是算了吧，如果用宝贵的自由去换取安逸，我还不如在丛林中受点苦。"狼头也不回地消失在丛林当中。

骨子里，狼从来就是自由的动物；自由的天性或天性的自由，已成为它们不可更移或改变的高贵基因。

人类从诞生到现在，经过了上百万年的时间，人类的发展史就是一部追求自由、创造自由的历史。人类从茹毛饮血到生火煮食，从住洞穴到建房子，从步行到坐车，都源于对自由的追求。

"生命诚可贵，爱情价更高。若为自由故，二者皆可抛。"通俗易懂的一首诗，却充分表达出自由在人们心目中的地位及人类对自由的追求。

匈牙利著名诗人裴多菲的诗已脍炙人口，它之所以广为人知，相信其中的一个原因莫过于写出了人们对自由追求的那种执着和义无反顾的精神。

有多少人热爱自由、渴望自由，又有多少人为了自由置生命、爱情于不顾！让我们感念近代的先辈、先烈们！是他们，为了国家、民族的独立、自由，用脊背扛起了国家的命运，投身于轰轰烈烈的革命浪潮当中。谭嗣同、林觉民、孙中山、闻一多、李大钊……这许许多多的中华儿女，为了使祖国摆脱列强的侵略，抵抗帝国主义的剥削压迫，不惜用鲜血和生命承担起扭转祖国命运、救民众于水火之中的重任。他们是值得我们赞美，值得我们缅怀的，特别是在我国日益强盛的今天，缅怀他们，就是为了不忘过去，不忘落后就要挨打的教训。

一个国家、民族失去了独立和自由，还算得上是一个国家、民族吗？人也如此。与其在受压迫受凌辱中生，还不如为追求自由而死！

无论付出多大的代价都无法阻止人类对自由的不懈追求。然而世界上没有绝对的自由，古代思想家庄子认为万物都是“有所待”的。我们所谓的追求自由，是追求每个个体都有权利享受的自由。追求自由并不意味着为了个体自由而可以为所欲为。

事实上，所有真正追求自由的人都是在受到极不公平的限制的情况下而做出的一种维护自身权利的努力，对于这样的努力，有什么力量能阻挡得了呢？

我们崇尚自由，追求自由，但我们对于自由的认识是否正确呢？当我们拥有自由的时候，我们会不会享受自由呢？

每个人对自己所追求的自由生活方式都是不一样的，就自由本身而言也是有不同区别的，自由包括物质上的自由，也包括精神上的自由。晋代著名的文学家陶渊明“不为五斗米折腰”指的就是舍弃物质上的束缚而追求精神上的自由。

陶渊明生来淡泊，一直隐居乡里，后来因为名气比较大，被人举荐，当上了一名县令。但是干了没几天，他认为官场就好像“樊笼”，人处在官场中就会“心为形役”，根本就没有自由。他在诗中写道：“羁鸟恋旧林，池鱼思故渊”，为得到身心的双重解放，追求自由的生活方式，在当了72天的县令之后，他终于选择了自己向往的生活方式，隐居田园。

乡村的美景和亲情，极大地激发了他的诗情，他的许多优秀作品，都是在这一时期完成，并开创了中国诗歌的田园之风。“悦亲戚之情话，乐琴书以消忧”，“聊乘化以归尽，乐夫天命复奚疑”。对自由的追求，使他享受到真正快乐的生活，即便物质上贫苦些，也感觉不到什么了。

我们都很羡慕陶渊明这种追求自由的生活方式，但是在现代社会，这种隐居田园的生活方式显然是不容易达到的。隐居田园达不到，于是就有很多人开始“大隐隐于市”，抛弃了朝九晚五的生活方式，也抛弃了给别人打工，“屈居人下”的生活地位，在家里“给自己”打工。他们在家里上班，网络和电话是他们的主要工作工具，他们可以自由安排作息时间，我们称这样的人为SOHO一族。无可否认，在SOHO一族中，以“自由”为动机的占了可观比例。这些人生平最见不得死板的条条框框，深信只有在“自由”之中才能发挥自己的才干。但是这种自由就是真正的自由了吗?

已过而立之年的吴华读大学时是一位小有名气的诗人。大学毕业后，在一文化单位工作数年，因厌恶其中人事关系复杂，愤然跳出，寻求大智慧、真自由。然而由于对自由的过分追求，险些没有饭吃。于是吴华吸取教训，积极替几家广告公司写广告词，生活步入正轨。不料长此以往，吴华写诗遇到了大大的麻烦，盘旋于脑中久久不散的，是种种需要推广的产品，以及由此引发的无穷联想。吴华不由后悔：以前的单位剥夺的仅是肉体的自由，现在的生活剥夺的则是精神的自由。他终于对现在的生活心生厌倦，可不管选择何种职业，总会带走某种自由，总会让他感到遗憾。

成为SOHO一族，除了自己，没有人会来对你的工作指手画脚。是否具有相当的自我管理能力，往往决定一个人是否适合成为一名自由职业者。一觉睡到下午两点，没人会扣你工资；忘发重要文件，也没人将你怒斥。可以说，一天工作几个小时创出多大实绩，完全取决于自控能力。

缺乏好的自我管理能力，挥霍自由、浪费时间，这样的人，并不适合做SOHO。他们需要外界的管理控制，才能步上正轨。能把工作当成兴趣的人不多，能将兴趣作为工作的就更少了。

恐怕对“自由”二字，大家还得仔细想想。此外，在SOHO的心理问题中，生活压力的影响力无疑是最大的，也是最现实、最难以避免的。近一点的压力是这个月能否赚到糊口的钱，远一点则要考虑今后的财源是否稳定可靠等等。但这并不意味着生活小康或富裕的自由职业者就能高枕无忧了。

由于没有劳保、养老保险，SOHO们时常对自己年纪渐长后的生活忧心忡忡，随之而来的是他们对工作近乎狂热的劲头，正是由于生活的压力，SOHO们体验着一种不安全感。在选择这条路时大伙儿自然充满信心，认为凭自己的才能，不愁没有出头之日，但千百年来国人对“稳定、有依靠”的信仰从未出现松动垮台的迹象，“吃了今天的，不知道明天的在哪”这个问题犹如百爪挠心，折磨着SOHO们。

在现代复杂的社会当中，每个人的自由都是受到限制的。有一句名言说：“你可以做你想做的，但不能要你想要的。”确实，每个人都可以做自己喜欢做的事，但同时，他也得对自己的行为负责。如果他的所作所为是出于某种目的，那么，也许他能实现这一目的，也许不能。关键在于他的行为是否在合理的范围之内。

鲁迅先生笔下的阿Q曾唾沫横飞地向别人吹嘘自己看到杀戮的场面，当革命党造反以后，他又幻想自己成了革命党的领袖，白盔白甲举起钢鞭想打谁就打谁。他真这么做了，结果是他想要的目的没达到，相反，革命党举起大刀把他给“咔嚓”了。

其实，现实生活中的每一个人身上都有阿Q的影子，只不过我们都更加清楚：自由是有限度的。我们可以讨厌一个人，可以反对他，但却不能打他甚至杀了他；我们可以拒绝做某件事，我们也可以劝说别人也别做，但我们不能强制别人按你的意思去做；我们可以喜欢金钱，并且可以通过自己的努力获取它，但你不能去抢银行。

即使是在自然界，我们也不能为所欲为，我们追求放牧的自由，结果草场被毁，土地沙漠化；我们追求工业发展的自由，结果臭氧层被破坏，全球气温升高，自然灾害频繁发生。这都是血淋淋的例子。

人类的发展史就是一部追求自由的历史。人人都有追求自由的权利。但是在与此同时，请千万记住任何自由都是有一定限度的。爱因斯坦在《我的世界观》中的一句话或许是对这种意思的最好概括：“人类不可能有哲学意义上的自由。”

狼不会为了嗟来之食而不顾尊严地向人摇头摆尾。因为狼知道，虽不能有傲气，但决不可无骨气。所以，狼有时也会独自高唱自由之歌——自由是一种心态，自由是一种境界。

### ◆ 狼的自述

无自由，毋宁死！

## 傲骨铮铮自风流

千锤百炼出深山，烈火焚烧若等闲。粉身碎骨浑不怕，要留清白在人间。

——于谦

狼是狂傲的动物，甚至可以说，狼是高贵的动物。我们在杀牛或者其他家畜的时候，往往会看到这些动物临死前对死亡的恐惧，它们往往泪水涟涟，声音凄惨，旁观者往往也跟着心疼。而狼则不然，饱经自然磨难的狼养就了一身傲骨，即使是被捕杀，也永远高昂着尊贵的头颅，傲骨铮铮，凛然不屈。

“骨气”，往往用来比喻人的品质，“骨气”是一种坚强不屈的气节，是一种“英雄气概”，是一种人格，甚至是一种国格。我国历史上无数文人墨客都对有骨气的人大加赞扬，对骨气进行定义和阐述。其中，最入木三分的应该属孟子，他把骨气的含义阐述得既简单明了，又具体全面。在严峻的考验面前，要“富贵不能淫，贫贱不能移，威武不能屈”。有骨气，才算得大丈夫，用现在的话来说，才是一个大写的“人”。

我们中国人是有骨气的，自古以来都是如此，从身份低微的市井小民，到万人景仰的王公贵族，从纵横沙场的民族英雄，到青史留名的文人墨客，有骨气、有气节的人数不胜数。人们对于这些人推崇备至，而那些没有骨气的民族败类，则遗臭万年，被人唾弃。

元代著名杂剧作家关汉卿，就是一个十分有骨气的人，与郑光祖、白朴、马致远齐名，被称为“元曲四大家”。元代人曾说他：“生而倜傥，博学能文，滑稽多智，蕴藉风流，为一时之冠。”

他的作品很少涉及风花雪月，而是把更多的目光投射到了广大的穷苦百姓身上。元代的阶级矛盾和民族矛盾十分尖锐，关汉卿对当时社会现实极其不满。他生活在社会底层，不仅写作剧本，有时还登台演唱，借杂剧来揭露黑暗现实，寄托自己的社会理想。他一生创作杂剧有60多种，大都散失，现存15本。《窦娥冤》《救风尘》《望江亭》《单刀会》等都流传很广。

关汉卿给人们留下深刻印象的，不仅仅是他的作品，更是他的骨气。在当时的社会情况下，他的作品与统治者的利益是相违背的，所以经常受到统治者的恐吓和打压，但是他从来就没有低头，而是坚持自己的信念。关汉卿曾把自己比做“蒸不烂、煮不熟、捶不扁、炒不烂、响当当的一粒铜豌豆”。表明他敢于斗争、不畏权贵的性格。

骨气是指人的自尊自爱之精神，是对人格自我尊重的认同。然后，由己及人，有骨气的人不但尊重自己，凡事也会尊重别人。有很多人把骨气和刚正混为一谈，这是有失偏颇的。

很多人说现在的社会凡事必言利，做事讲求谋略，生存要靠竞争，那些过于刚直的人往往不会有大的发展。比如，刚直的人最明显的一点就是不喜欢阿谀奉承，他觉得这种话难以启齿，这种行为不屑一顾。如果他在官场，他显然会不喜欢巴结，不喜欢盲从，他喜欢有主见和独立思考，而他的主见和独立思考会让某些重要人物头痛，这样的人令人敬佩，却难成大事。如果他在商场，他一不会做假冒伪劣之事，二不会暗箭伤人，三不会暗度陈仓，四不会唯利是图，等等。那么，结果很明显，在官场，他是永无出头之日的，而在商场，在当今利字当头、无法公平竞争的环境中，他能不能混口饭吃，都是个问题。

耿直不屈确实是骨气的一种表现，但是我们却不应该把骨气和刚直画上等号。有骨气不是那么简单的，不是喊一句口号就是有骨气了。这样的人要成功，是需要特定的环境。而当前，世俗社会又怎样理解骨气呢？很多人喜欢钱、权，崇拜钱、权；也许喜欢和崇拜钱、权并没有道德意义上的过错，但为了得到钱、权却丧失人格，损人利己，不择手段，这样做的人，和喜欢这种人的人，人格都没有了，其骨气又在哪里？而世俗往往只看重表面，并不问表面的成功是如何来的，往往把这种成功归入了有骨气的范畴。

有人说，我们现在处于一种和平的时代，大家讲的是赚钱，讲的是发展，讲的是生活品质，这个时候已经没有必要来大谈什么骨气了。

这种想法是完全错误的，骨气是对正义、对真理、对个人原则的一种坚持，在任何时间，任何地点，对于任何事情，我们都应该拿出一点做人的骨气来。

对学生来讲，尤其是大学生，现在考试作弊的情况十分严重。很多人本来是不打算搞抄袭的，可是宽松的考试环境，加上周围不少人作弊，你不抄的话，别人的成绩就会比你高。这样有很多人也就随波逐流，开始作弊。我们说，这样的学生是没有骨气的，因为他在周围人的诱惑下，没能坚持住自己的道德底线。而那些坚持把考试当做衡量自己学习水平的一种方式、不肯违背自己的良心、专心考试的学生是让人敬佩的，是有骨气的。也许暂时，那些作弊的学生看起来成绩好了很多，但是步入社会以后，一切都要靠自己的真正实力去完成，那时候，作弊就没那么容易了，那些有真才实学的学生就会脱颖而出。

在企业，竞争日益激烈，每个人都希望有一个更高、更广阔的发展平台。有些人靠自己的努力，为公司创造更多的效益来提高自己，这样的人是有骨气的，而有些人则平常不努力，到了考核提升干部的时候，则四处走关系、送礼，甚至打压对手，说对手坏话，这样的人是没有骨气的。有眼光的老板是不会把重任交给这种没骨气的员工的。

在部队，我们的军人都是铮铮铁骨，他们为了祖国的安定、为了人民的和平，抛头颅、洒热血，即使牺牲生命也在所不惜。他们对外部的不良影响和诱惑不屑一顾，对于敌人的严刑逼供誓不低头，他们是人民心目中的英雄，是人们崇拜景仰的偶像。

苏武字子卿，杜陵人，是西汉武帝、昭帝时的大臣。公元前100年，匈奴新即位的单于，派使者主动送还以前扣留的汉朝使臣多人，以表示愿意和汉朝修好。汉武帝见此情景很高兴，决定派遣苏武以中郎将身份，出使匈奴，同时送还以前扣留的匈奴使者。

苏武同副使张胜、属吏常惠以及随从人员100多人，带着许多礼物离开长安，出使匈奴。

苏武到了匈奴以后，送上礼物，交还人质，正等待单于复信返回的时候，发生了意外事件。以前汉朝出使匈奴的使者卫律投降于匈奴，其副手虞常却不肯投降。苏武一行到来后，虞常暗地联络张胜，密谋刺杀卫律，劫持单于之母逃归汉朝。但他们的计划被泄露，卫律逮捕了虞常，虞又供出张胜。

单于本来就没有太大诚意与汉朝和好，因此借着这个机会下令扣留苏武一行，并派卫律审讯苏武。苏武认为自己身为汉使，如果遭到审讯，有辱国家尊严和使命，先后两次拔刀自刎，均被身边的人拦住。单于见苏武如此有骨气，大为赞赏，有心劝苏武投降，就派卫律充当说客。卫律当着苏武、张胜之面杀了虞常，又执刀威吓张胜，张胜慌忙表示愿降。

卫律又执刀要杀苏武，苏武神色不变，泰然自若，卫律反而吓得缩回了手。卫律见威吓不行，就劝苏武投降，享受荣华富贵。苏武义正词严，痛斥卫律卖国叛汉的可耻行为。

越是这样，单于就更加想得到苏武。但苏武不肯投降，单于无计可施，遂囚苏武于地窖之中，断绝饮食供应，想以此迫使苏武屈服。苏武咬紧牙关，宁可吞积雪解渴，食碎羊皮等充饥，也誓死不降。单于又以封王来劝降，苏武仍不理睬。单于没有办法，把他流放到渺无人烟的北海牧羊，说要等到放牧的公羊产奶的时候才放苏武返回汉朝。

在环境恶劣的北海，苏武靠掘野鼠洞中的草籽和草根维持生命。严寒的冬夜里，苏武手握节杖，遥望南方的天空，思念长安城中的亲人，过了几年时间，单于派屈降的李陵赴北海劝降，谎称苏武的两兄弟获罪被杀，母亲患病而死，妻子被迫改嫁，所遗二妹和三个子女生活无着，想以此来动摇苏武的意志。对于李陵的劝降，苏武严词拒绝，并表示："如果一定要逼我屈节投降，我就立刻自杀！"

面对威武不屈的苏武，李陵深感愧疚，不禁仰天长叹："嗟呼，义士！陵与卫律之罪上通于天！""因泣下沾衿，与武决去"。一直过了十几年，匈奴单于死了，新单于派使者来到长安，表示要与汉朝和好，汉朝廷提出要单于放苏武等汉朝使者返回，匈奴人欺骗说苏武已经死了。后来，汉朝有使者去匈奴，当初和苏武一起到匈奴的常惠获得消息，就买通了看守，乘夜晚去见汉使，把情况报告了汉使。汉使去见单于说，汉皇帝在上林苑射猎，射下一只大雁，雁足上系着苏武的信，说他还在北海。并威胁说，大雁捎书，是"天意"，单于不能违背天意。

单于无奈，只好命令把苏武从北海放回，连同常惠等人一同交汉使带回国。汉昭帝始元六年，被匈奴拘留 18 年的苏武一行人终于回到长安。苏武拜见汉昭帝，交还了使节，昭帝封苏武为典属国之职，宣帝即位封苏武关内侯。苏武死后，宣帝命人绘苏武像于未央宫之麒麟阁，以表彰其高尚的节操和精神。

苏武是中国人骨气的典型体现，成为后人景仰的对象。骨气与地位、职位、经济状况等表面因素无关，而是一种内在的品质。或许是一位农民、或许是一位官员；或许是一位清洁工、或许是一位科学家；或许是一位初中生、或许是一位教授；或许是一位士兵，或许是一位将军；或许是一位员工，或许是一位总经理……这些人身份不同，但都有共同特点：他们不奴颜婢膝，也不盛气凌人；他们关怀天下苍生的疾苦，但却不越界干涉别人的隐私；他们努力为大众做贡献，但往往却不企求理解；他们自尊，但不羡慕虚荣；他们有铮铮傲骨，但没有丝毫傲气；他们做事有原则，但灵活不僵硬；他们心地坦率，但并不莽撞…………

骨气是正义之源，人类的善良，社会的正义，正是由无数铁骨铮铮的人们所支撑。“壁立千仞，无欲则刚”，有骨气的人是坚强的，他们有所追求，但从无奢求。我国历史上出现过无数有风骨、有气节的英雄，他们是中华民族的真正脊梁！

### ◆ 狼的自述

被抓不可怕，挨饿也不可怕，最可怕的是没有了骨气，变成一条摇尾乞怜的狗。

## 狼最尽心，做人也要有责任感

责任感常常会纠正人的狭隘性。当我们徘徊于迷途的时候，它会成为可靠的向导。

——普列姆昌德

狼是群居动物，互相之间和人类的社会类似。一个成熟的狼群有明确的分工，谁做领袖，谁负责警戒，谁负责探路，谁负责战斗，分工明确。每只狼都各司其职，来不得半点马虎，狼的责任心都很重，往往在自己坚守的岗位上，宁死不退。

狼都可以如此，人就更应该能够做到尽职尽责。在我们生活的社会当中，每个人都扮演着自己的角色，在家里是父母、子女，在公司是领导、员工。每个角色都有自己的责任和义务，角色不同，责任和义务也就不同。我们要想成功扮演我们所承担的角色，就一定要负担起这个角色的各种责任来。勇于承担责任被人们奉为一种最难能可贵的美德，而推卸责任是最为世人所不齿的。

唐代著名文学家、哲学家柳宗元清早起来，带着随从前往永州。中午时分到了一个偏僻的小村，他又累又饿，便坐下休息一会儿，叫随从去找点吃的。但随从转遍了村子也一无所得，因为那年闹灾荒，老百姓都没吃的，哪里能买到食物呢?

正在踌躇时，见一座茅屋旁有一只瘦狗趴在那里，随从便取出绳子，将狗勒死，提到柳宗元面前，谎称是捉到的野狗。柳宗元信以为真，便令随从烤肉充饥。

他们正在吃得津津有味时，一位头发花白的老妇人来到了他们面前，又气又骂："这两个强盗，大白天偷我的狗来杀吃，何等无理！"柳宗元顿觉心里火辣辣的，此时方才知道自己被随从骗了，正想发火，但转念一想，也不能怪随从，只好抱歉地对老妇人说："实在对不起，我等还以为是野狗崽子，结果错杀了你家的狗，我们以白银赔偿。"

老妇人满面挂泪，提起狗皮说："这种年头要白银有什么用，又不能当饭吃！"柳宗元当即令随从四处去买狗，还给老妇人，才算了结了这件事。

遇事敢于承担责任的人是勇士，遇事逃避或推卸责任的人是懦夫。有人说，承担责任就是丢面子，其实不然，如果你勇敢承担责任，反而更能让人感受到你的人格魅力。必须勇于承担责任，而不是推卸责任。

三国时期，曹操在一次出征当中，正值小麦快收割季节，曹操严禁士兵践踏田里的麦子，违令者斩。一天，军队有秩序地路过麦田边的小路，忽然曹操的马受惊了，冲进了旁边的田里，糟蹋了不少庄稼。大家并没有把这件事情放在心上，但是曹操却坚持认为自己触犯了法令，就应该受到惩罚。于是拔出剑来要自杀，众人连忙拉住，苦苦哀求。最后，曹操说："我违反了法令，必须要承担责任，但是如果我现在死了，就没法完成保卫皇室的事业了，我先把自己的头发割下来代替受罚吧。"说完，挥剑割下了自己的头发。古代人把头发看得很重要，认为在战场上被敌人割掉头发是和掉头一样的耻辱。士兵们看到主帅都如此负责维护军纪，就更加小心谨慎、纪律严明了。

我们在这里无须研究曹操是否是真心要自杀，单是这种勇于承担责任、有令必行的气度就让我们折服。相反，在现实生活当中，很多人都是利益面前争先恐后，责任面前避之唯恐不及，这种自私自利的表现是目光短浅而且愚蠢的。责任和机会是孪生兄弟，在你推开责任的同时你往往也就送走了机会。有些人往往为了追逐一些蝇头小利而放弃自己的责任，逃避了责任以后甚至还沾沾自喜，殊不知，这样做最终受伤害的还是自己。

路晓是公司质管部经理，人非常聪明，也很能干，就是有一个缺点，凡事都想给自己留好退路，对比较棘手的事情，可能要承担责任的事情，会想办法推给其他部门或自己的上司。他非常善于用"汇报汇报"与你商量商量的语气沟通工作，一旦你有什么意见比较符合他的心愿，他就会去执行，而一旦出现了问题，他便会把责任往你身上推。

他的这种思想和做法最终还是酿成了大错。那次市场上的产品出现了质量问题，他检查了一下，认为工艺原料等都没有差错，就觉得是技术问题。技术部门检查后说技术也没问题，他就认为是技术中心不配合，问题不好解决，就把事情搁置起来了。后来质量问题在市场上暴露得越来越严重，并最终造成大批量的退货，给公司造成了巨大的损失。在追究责任时，他还坚持认为是技术中心不配合导致的结果，丝毫没有认识到作为对质量负总责的他，应该在这个过程中充当一个什么样的角色。由于他缺乏管理者的基本素质，当场就被老总解雇了。

千万别害怕承担责任。立下决心：你一定能够承担任何正常职业生涯中的责任，你一定能够比前人完成得更出色。世界上最愚蠢的事情是推卸眼前的责任，认为待到将来准备好了、条件成熟了再去承担就是了。在需要你承担责任的时候，立刻去承担它，这便是最好的准备。假若不习惯这么去做，即使等到条件成熟了，你将不可能承担得起责任，你也不会做好任何重要的事情。

负责任、尽义务是成熟的标志。对于责任人们往往不愿意主动承担，但对那些获益丰厚的好事，邀功请赏者却总是不乏其人。负责任的人是成熟的人，他们能把握自身的行为，对自己的言行负责，做自我的主宰。也只有这样的人，才是我们社会的坚强柱石。

权力与责任是成正比的，你的地位越高，权力越大，往往也就意味着你需要担负的责任就越大。如果你还没有锻造出一颗勇于担负责任的心，最好也不要对权力、事业产生太大的奢望。

很多人在犯了错误以后，有“不停地辩解”的习惯，如果你习惯于说“我以为”,那么请马上改掉,这都是拒绝承担个人责任的表现。而正确认识自己，专注自己的本职工作，勇于承担责任，找出自己可能忽视的一些问题，才是你努力成为一个优秀的人应该做的。

某市有关部门在对优秀学生候选人进行考察时，曾有意将扫帚、抹布横在他们必经的走道上，结果绝大部分候选人或视而不见，或绕道走开了。不少教育工作者和家长都感到：现在一些孩子对自己、对家庭、对他人、对集体、对社会的责任意识是淡漠多了。

人一旦没有责任，就会放弃现在；忽略责任，就会贻误机会；背弃责任，就会埋没事业。在责任面前，我们没有任何理由游戏人生。一个连对自己都没有责任感的人，很难想象其会对集体、国家尽责。

现在多元文化和思想对人们的冲击很大，培养责任感显得更加重要。我们应当使尽责任成为一种行为习惯，成为生命的有机部分，与成长和使命同行。

培养责任感，重在明白事理后的自觉践行，难在价值取向多元下的思想升华，深在情意融合中的观念内化。当然，要有所为，有所不为。感受现实，增强学习责任感；从小事做起，在岗位上体验对他人的责任；与长辈对话，理解家庭责任；在对“负担”的思辨中，坚定对生活的责任意识；探究生命的意义，明确社会责任；走向明天，将自我责任和社会责任融为一体。这也许是责任感培养由低到高、由浅入深、由表及里的阶梯。

### ◆ 狼的自述

生命，如果跟崇高的时代责任联系在一起，你就会感到它永垂不朽。

## 感恩图报是狼的信条

儿不嫌母丑，狗不嫌家贫，鸦有反哺义，羊有跪乳恩。

——中国民间格言

在童话故事当中，狼往往是邪恶的化身。这只不过是人们的声口相传，实际上，狼是一种“知恩图报”的动物。

一天，一个蒙古族小男孩在山坡上发现一个狼洞，就赶快回去告诉自己的爷爷。没多久，两人就带着猎枪来到了洞口。两人守了大半天，忽然发现一只大着肚子的母狼出现在洞口，同时母狼也发现了两人、警惕地看着两人黑黝黝的枪口。

小男孩刚要扣动扳机，爷爷按住了他的手：“做猎人也不能赶尽杀绝，算了。”于是两个人就回去了。

半年以后，小男孩在森林里碰到了一只黑熊，经验不足的他贸然开了一枪，如果不是打在要害部位，普通的子弹根本就奈何不了它。黑熊被激怒了，向小男孩扑了过来。在千钧一发的时候，两只狼扑了过来，和熊撕咬在一起。最后，在狼的帮助下，小男孩终于杀死了熊。这时候他才发现，那只伤痕累累的狼正是半年前自己枪下放过的母狼。

“鸦有反哺义，羊有跪乳恩”，狼和其他动物尚且知道感恩图报，更何况作为万物之灵的人呢？一个人从出生开始，就不断地得到周围人的恩惠，有父母的养育之恩、有老师的教育之恩、有大众的扶持之恩、有国家的爱护之恩……没有父母养育、没有师长教诲、没有国家爱护、没有大众助益，我们何能存于天地之间？所以，感恩不但是美德，感恩是一个人之所以为人的基本条件！

“感恩”二字，字典里的意思是：“乐于把得到好处的感激呈现出来且回馈他人”。“感恩”是因为我们生活在这个世界上，一切的一切包括一草一木都对我们有恩情！

“感恩”是一种认同。这种认同应该是从我们的心灵里的一种认同。我们生活在大自然里，大自然给予我们的恩赐太多。没有大自然谁也活不下去，这是最简单的道理。对太阳的“感恩”，那是对温暖的领悟，对蓝天的“感恩”，那是我们对蓝得一无所有的纯净的一种认可；“感恩”更是一种回报。母亲怀胎十月生育了我们，又用乳汁将我们哺育。而更伟大的是母亲从不希望她得到什么。就像太阳每天都会把她的温暖给予我们，从不要求回报，但是我们要记住这种恩情，将来长大以后要孝敬父母以作回报。

感恩之心与一个人的地位无关，无论你是何等的尊贵，哪怕是至高无上的皇帝，或是怎样的卑微，哪怕是一无所有的乞丐；无论你生活在何地何处，或是你有着怎样特别的生活经历，只要你胸中常常怀着一颗感恩的心，随之而来的，就必然会不断地涌动着诸如温暖、自信、坚定、善良等等这些美好的处世品格。自然而然地，你的生活中便有了一处处动人的风景。

“感恩”是一种处世哲学，是生活中的大智慧。感恩可以消解内心所有的积怨，感恩可以涤荡世间一切尘埃。人生在世，不可能一帆风顺，种种失败、无奈都需要我们勇敢地面对、豁达地处理。

“感恩”是一种生活态度，是一种品德，是一片肺腑之言。如果人与人之间缺乏感恩之心，必然会导致人际关系的冷淡。所以，每个人都应该学会“感恩”，这对于现在的孩子来说尤其重要。因为，现在的孩子都是家庭的中心，他们只知有自己，不知爱别人。所以，要让他们学会“感恩”，其实就是让他们学会懂得尊重他人。对他人的帮助时时怀有感激之心，感恩教育让孩子知道每个人都在享受着别人通过付出给自己带来的快乐的生活。当孩子们感谢他人的善行时，第一反应常常是今后自己也应该这样做，这就给孩子一种行为上的暗示，让他们从小知道爱别人、帮助别人。

“感恩”是一个人与生俱来的本性，是一个人不可磨灭的良知，也是现代社会成功人士健康性格的表现，一个连感恩都不知晓的人必定是拥有一颗冷酷绝情的心。在人生的道路上，随时都会产生令人动容的感恩之事。且不说家庭中的，就是日常生活中、工作中、学习中所遇之事所遇之人给予的点点滴滴的关心与帮助，都值得我们用心去记恩，铭记那无私的人性之美和不图回报的惠助之恩。感恩不仅仅是为了报恩，因为有些恩泽是我们无法回报的，有些恩情更不是等量回报就能一笔还清的，唯有用纯真的心灵去感动去铭刻去永记，才能真正对得起给你恩惠的人。

感恩是一切一切道德品质的基石，但是现在很多人却忽视了这一点。现在的年轻人，自从来到尘世间，都是受父母的呵护，受老师的指导。他们对世界未有一点贡献，却牢骚满怀，抱怨不已，看这不对，看那也不好，视恩义如草芥，只知仰承天地的甘露之恩，不知道回馈，足见其内心的贫乏；现代中年人，虽有国家的培养，有老板的提携，自己尚未能发挥所长，贡献于社会，却也不满现实，有很多委屈，好像所有人都对不起他，愤愤不平。知恩图报是我国的优良美德，这一美德不能因为现代社会的经济发达、竞争激烈而被遗弃。

深圳青年演员丛飞，从 1995 年起，10 年间通过义演捐资 300 多万元，帮助 178 名贫困学子圆了大学梦，被人称为“爱心大使”。

但就是这样一个好人，因为资助贫困学生家财散尽，却不幸被诊断出身患癌症。在他生命垂危的时候，那些曾受他资助读完大学并有一定经济基础的人，却没有一个来看望他。那些正在接受他资助的学生家长，有的竟还抱怨：“你不是说供我们孩子到大学毕业吗？现在就不出钱了，不是坑人吗？”

后来有人问起丛飞当时有什么感受，丛飞只是淡淡地说自己“有一点伤心”。其实，这不单单是让人伤心的问题，更是社会道德缺失的一种具体表现！俗话说的好：“滴水之恩当涌泉相报。”10 年来，对自己所做出的一切，丛飞肯定没有心想着将来要得到受助者的什么报答。但对于受助者而言，得到帮助之后，最起码应该常怀感恩之心，而不是像现在这样心生抱怨，甚至出口指责。

当然，对丛飞心生抱怨的只是很少的一些人，但这些还是让我们不免感到有点难过。施与不能作为回报的订单，感恩之心却应该是人们给予施与者的起码“回执”。但近些年来，在我们现实生活中，由于一些人已经习惯了市场第一、金钱至上的思维方式，导致其心灵扭曲、道德滑坡，他们对需要帮助的人视而不见，对帮助过自己的人忘个干净。

源远流长的感恩情怀与传统，在今天的现实生活中为什么得不到生动体现？为什么知恩、报恩的声音离我们越来越远？

不会感恩，不仅使人对善举失去反应，使善良变得麻木，更使人很难体会到真正的幸福与快乐。有这样一则谚语：幸福，是有一颗感恩的心，一个健康的身体，一份称心的工作，一位深爱你的爱人，一帮信赖的朋友。

感恩并不是一件很困难的事情，正相反，它是如此的简单。写一条短信给上司，告诉他你是多么喜欢自己的工作，多么感谢工作中你所获得的成长机会。这种感谢方式，一定会让他注意到你——甚至可能重用你。感恩是会传染的，老板也同样会以具体的方式来表达他的谢意，感谢你所提供的服务。

不要忘了感谢你周遭的人——你的老板和同事。因为他们了解你、支持你。大声说出你的感谢，让他们知道你感激他们的信任和帮助。

永远都需要感谢。推销员遭到拒绝时，应该感谢顾客耐心听完自己的解说。这样才有下一次惠顾的机会！老板批评你时，应该感谢他给予的种种教诲。感恩不花一分钱，却是一项重大的投资，对于未来极有助益！

真正的感恩应该是真诚的，发自内心的感激，而不是为了某种目的，迎合他人而表现出的虚情假意。与溜须拍马不同，感恩是自然的情感流露，是不求回报的。一些人从内心深处感激自己的老板，但是由于惧怕流言蜚语，而将感激之情隐藏在心中，甚至刻意地疏离老板，以表自己的清白。这种想法是何等幼稚啊！如果我们能从内心深处意识到，正是因为老板费尽心机的工作，公司才有今天的发展，正是因为老板的谆谆教诲，我们才有所进步，才会心中坦荡，又何必去担心他人的流言蜚语呢?

感恩并不仅仅有利于公司和老板。对于个人来说，感恩是富裕的人生。它是一种深刻的感受，能够增强个人的魅力，开启神奇的力量之门，发掘出无穷的智能。感恩也像其他受人欢迎的特质一样，是一种习惯和态度。

感恩和慈悲是近亲。时常怀有感恩的心情，你会变得更谦和、可敬且高尚。每天都用几分钟时间，为自己能有幸成为公司的一员而感恩，为自己能遇到这样一位老板而感恩。所有的事情都是相对的，不论你遭遇多么恶劣的情况。

“谢谢你”“我很感激你”，这些话应该经常挂在嘴边。以特别的方式表达你的感谢之意，付出你的时间和心力，为公司为老板更加勤奋地工作，比物质的礼物更可贵。

当你的努力和感恩并没有得到相应的回报，当你准备辞职调换一份工作时，同样也要心怀感激之情。每一份工作、每一个老板都不是尽善尽美的。在辞职前仔细想一想，自己曾经从事过的每一份工作，多少都存在着许多宝贵的经验与资源。失败的沮丧、自我成长的喜悦、严厉的老板、温馨的工作伙伴、值得感谢的客户……这些都是人生中值得学习的经验。如果你每天能带着一颗感恩的心去工作，相信工作时的心情自然是愉快而积极的。

许多成功人士在谈到自己的成功经验时，往往过分强调个人努力因素。事实上，每个获得成功的人，都曾经获得过别人的许多帮助。一旦你订出成功目标并且付诸行动之后，你就会发现自己获得许多意料之外的支持。你应该时刻感谢这些帮助你的人，感谢上天的眷顾。

### ◆ 狼的自述

上天给了我们强壮的肉体，给了我们坚强的灵魂，给了我们生存的环境，给了我们空气、水和食物，给了我们一切。对此，在一生当中我们都怀着最深厚的敬意。

## 忠诚必有回报

一盎司忠诚胜过一磅智慧。

——戴高乐

狼群之所以能够如此强大，除了组织纪律严密、具有团队精神以外，最重要的一点，就是对集体的忠诚。一旦狼群的首领确定下来，所有的狼都会对首领忠心不二，至死不渝。

同样，忠诚是人类最重要的美德，是一切美德中的基础。善良、宽容、豁达等等这一切美德都离不开忠诚。

对信念的忠诚是攀登理想高峰的动力。我们党在建党之初只有数十个人，而且国家正处于内忧外患之中。对内有军阀、国民党的残酷镇压，对外有列强的侵略，正是靠着对共产主义事业的忠诚，无数革命先烈抛头颅、洒热血，经历了无数的艰难困苦，终于换来了新中国的成立。

即使是在几十年以后的我们，在阅读历史、了解历史的时候，依然会被他们的忠诚和勇敢所感动、所折服。

对事业的忠诚是取得领导和同事信任、开创美好未来的前提，每个企业的发展和壮大可以说都是靠员工的忠诚来维持的，如果大部分的员工对公司都不忠诚，那么这家公司距离破产也就不会太远，员工也就面临着失业。虽然，考察一名员工优秀与否，有很多方面的要求——工作能力、为人勤奋、主动肯干、朴实正直、勇敢负责……

但有一点是肯定的，老板更愿意相信那些忠诚于企业的人，即使他的能力稍微差那么一点点，而不会重用那些三心二意、没有责任心的人，哪怕他经验丰富、技能一流。当然，既忠诚又有能力的员工会更受欢迎，而现实是，少数人需要能力加勤劳，而多数人却是靠忠诚和勤劳获得在公司的立足之地。

一个人即使再有才能，失去了忠诚，也难成大业。三国时期的第一猛将当属吕布，号称："人中吕布，马中赤兔。"但是他却是个两面三刀的人，一开始跟随丁原，认丁原做义父，后来跟随董卓，拜董卓做干爹。结果两人都被吕布杀了，因为吕布的不忠，大家都嘲笑他为"三姓家奴"。结果他的手下对他也变得不忠起来，纷纷倒向曹操。吕布最后也只落得了个横死的下场。

下级对上级的忠诚可以增强老板的成就感和自信心，可以增强集体的竞争力，使公司更兴旺发达。因此，许多老板在用人时，既要考察其能力，更看重个人品质，而品质最关键的就是忠诚度。一个忠诚的人十分难得，一个既忠诚又有能力的人更是难求。忠诚的人无论能力大小，老板都会给予重用，这样的人走到哪里都有条条大路向他们敞开。相反，能力再强，如果缺乏忠诚，也往往被人拒之门外。毕竟在人生事业中，需要用智慧来做出决策的大事很少，需要用行动来落实的小事甚多。少数人需要智慧加勤奋，而多数人却要靠忠诚和勤奋。

朋友间的忠诚，在危险时刻最能得到表现。同样，员工对公司对老板的忠诚也是如此，需要在困难时刻经受住考验。公司面临危机的时候，也正是检验员工忠诚敬业的时候。优秀的榜样员工总是能和老板同舟共济。一些老板们总是特别珍惜那些和自己一同创业的老员工。俗话说得好："患难见真情"。只有能够与你"共患难"的人，才值得和你一起"同荣华"。

令人遗憾的是，在现在的社会环境当中，越来越多的人把目光放在了短期利益上，而忠诚却变得越来越稀少了。

许多公司花费了大量资源对员工进行培训，然而当这些员工积累了一定的工作经验后，一旦发现有更高薪水的工作，往往一走了之，有些甚至不辞而别。那些留在公司的员工则整天抱怨公司和老板无法提供良好的工作环境，将所有责任全部归咎于老板。

跳槽，就其本身意义来说，并不是衡量一个人是否忠诚的绝对标准，人一生恐怕要走几条路，才能到达自己想要达到的地方。从职业的角度，一个人也难免要调换几种工作，才会发现适合自己发展的平台。但是这种转换必须依托整体的人生规划。盲目跳槽，虽然在新公司收入可能会有所增加，但是，一旦养成了这种习惯，跳槽不再是目的，而成为一种惯性。

一个频繁转换工作的人，在经历了多次跳槽后，发现自己不知不觉中形成了一种习惯：工作中遇到困难想跳槽；人际关系紧张也想跳槽；看见好工作想跳槽；有时甚至莫名其妙就是想跳槽，总觉得下一个工作才是最好的，似乎一切问题都可以用转移阵地来解决。这种感觉使人常常产生跳槽的冲动，甚至完全不负责任地一走了之。

久而久之，自己不再勇于面对现实，积极主动克服困难了，而是在一些冠冕堂皇的理由下回避、退缩。这些理由无非是不符合自己的兴趣爱好啦，老板不重视啦，命运不济啦，怀才不遇啦，别人不理解啦，幻想着跳一个新的单位后所有问题都会迎刃而解。

缺乏忠诚，频繁地跳槽直接受到损害的是企业，但从更深层次的角度，对员工的伤害更深，无论是个人资源的积累，还是所养成的“这山望着那山高”的习惯，都使员工价值有所降低。

“在其位，谋其政”是忠诚的最基本表现，一个人可能会频繁跳槽，但在工作的过程中一定要兢兢业业，做一天，就负责一天，这样的工作态度才是正确的。

一位成功学家说：“如果你是忠诚的，你就会成功。”忠诚是一种美德，一个对公司忠诚的人，实际上纯粹不是忠于一个企业，而是忠于你自己的事业，忠于自己的幸福。

一位阿拉伯王子出席晚宴，回来的时候已经快天亮了。到宫殿以后，发现自己的仆人正抱着他的鞋子睡在床侧的地板上。

王子大为感动，主人不在的时候，还忠诚地守护着自己的责任。从此以后，王子开始越来越重用这个仆人。后来，王子成了阿拉伯世界的著名君主，而那个抱着拖鞋的仆人，也已经成为一位叱咤风云的将军了。

忠诚是一种特质，能带来自我满足、自我尊重，是一天24小时都伴随着我们的精神力量。人既可以充分控制和掌握无形的自我，引导我们获得荣誉、名声及财富，也可能将我们放逐到失败的悲惨境地。

忠诚和努力是融为一体的，像上面例子里的那个仆人，如果王子只是照顾他提拔他，但他不努力，就算成了将军在战场也容易丧命。忠诚是生命的润滑剂，忠诚的人没有苦恼，也不会因情绪的波动而困惑。他坚守着生命的航船，即使船就要沉没，也会像英雄一样，在歌声中随着桅杆顶上的旗帜一起沉没。

忠诚是人类最重要的美德之一。忠实于自己的公司，忠实于自己的老板，与同事们同舟共济、共赴艰难，将获得一种集体的力量，人生就会变得更加饱满，事业就会变得更有成就感，工作就会成为一种人生享受。相反，那些表里不一、言而无信之人，整天陷入尔虞我诈的复杂的人际关系中，在上下级之间、同事之间玩弄各种权术和阴谋，即使一时得以提升，取得一点成就，但终究不是一种理想的人生和令人愉悦的事业，最终受到损害的还是自己。

如果说，智慧和勤奋像金子一样珍贵的话，那么还有一种东西更为珍贵，那就是忠诚。忠诚于公司，从某种意义上讲，就是忠诚于自己的事业，就是以不同的方式为一种事业做出贡献。忠诚体现在工作主动、责任心强、细致周到地体察上司的意图。忠诚还有一个最重要的特征，就是不以此作为寻求回报的筹码。

对于企业来说，忠诚能带来效益，增强凝聚力，提升竞争力，降低管理成本；对于员工来说，忠诚能带来安全感。因为忠诚，我们不必时刻绷紧神经；因为忠诚，我们对未来更有信心。

此外，对爱情的忠诚是维系婚姻的幸福纽带；对国家的忠诚是国家繁荣强盛的有力保证……忠诚是一切美好图画的背景色，忠诚是所有的幸福之源。

### ◆ 狼的自述

带着忠诚和勇敢，去面对一切。

# 第7章

# 忧患常存　转危为安

有经验的猎人都说，狼的鼻子是最灵敏的，它们不仅仅能闻出同类或者猎物的气息，甚至能闻出“危险的味道”。

这一点主要得益于狼有着强烈的忧患意识。艰苦的环境和激烈的生存斗争,使狼对各种可能存在的潜在危险,都保持着高度的敏感。

在各种食肉动物当中，狼是少数懂得储存食物的动物之一。在寒冷或者干旱的季节，草原上的食物少得可怜，狼群经常是饥肠辘辘的。但是即使是在这种情况下，狼群仍然会把一部分围猎到的食物储存起来，以备做更艰苦时的“救命粮”。

忧患意识，也是最近几年社会上的热门话题之一，现在的年轻人非常缺乏忧患意识,不少人是“月光族”或者“日光族”,过着“做一天和尚撞一天钟”的生活。一旦出现危机，却无法坦然面对。

## 明天的早餐在哪里

居安思危，思则有备，有备无患。

——《左传》

在食肉动物当中，狼是少数懂得储存食物的动物之一。尤其是在寒冷的冬天，狼群往往要一个月甚至更长的时间才能进行一次大规模的狩猎。但是，狩猎完成以后，狼群却不是大吃特吃，撑得肚皮滚圆，而是根据猎物的多少，把一定的食物埋在雪里。这些埋起来的食物往往就会成为它们的“救命粮”。因为它们知道，明天的早餐说没就会没了。

俗话说：“人无远虑，必有近忧。”就是告诫人们要居安思危，要有忧患意识，这样才能防患于未然。一个人是这样，一个地方，乃至一个国家、一个民族都是这样。因为忧患意识是人的理智的反映，是智者智慧的表现。越是清醒、明智的人，就越能预见前进道路中的困难、危险和发展中的危机。“明者见危于无形，智者视祸于未萌”，从而采取相应的对策和措施，把一切困苦、矛盾、危险解决在萌芽状态之中，永远立于不败之地。

中华民族的忧患意识源远流长，它的产生可以追溯到殷周之际的社会变革时代。历时数百年的殷是如何灭亡的呢？小小的周国何以能取代大殷商而统治天下呢？长治久安的秘密在哪里呢？这些疑问引起了当时的统治者及知识分子的关注，他们不断总结这一历史经验教训，这就是“忧患意识”。

周人推翻了殷人的统治，成为新的胜利者。然而他没有像一般胜利者那样趾高气扬，忘乎所以，而是表现出《易传》所说的“忧患”意识。表明当事者对吉凶成败具有深思熟虑的远见，表明当时的人们面对事物产生了责任感，也就是精神上开始产生了自我反思。显而易见，周代建国者对殷革夏命以及周革殷命的经验教训进行了深刻的反省，他们当时的心态，正如《诗经》所形容的：“战战兢兢，如临深渊，如履薄冰”。

人类生息繁衍在地球之上，大自然为人类的生存发展提供了各种必要的条件。同时，也有降灾肆虐的另外一面。特别是人类对大自然的过度索取，对生态环境的肆意破坏，极大地加强了自然力量的破坏作用。从某种意义上来说，自然灾害正是对人类破坏自然生态的一种报复和惩罚。可惜的是，自然灾害过去之后，人们往往好了“疮疤忘了痛”，为了暂时利益、局部利益而肆意破坏生态环境的现象依然到处可见。

日本是一个岛国，地震频发，各种资源严重匮乏。这种客观的自然条件造就了日本人强烈的忧患意识。

下关是个港口城市，有几条航线可以直达我国的上海、青岛、大连等城市。出出进进的船依然很多，有不少是来自中国的货船。这些船运来的大多是山西和东北的优质煤。

但是，令人惊讶的是，他们进口我们的煤现在并不用，而是用巨大的混凝土盒子，把运来的煤装进去密封起来存放到大海里。这些年存放起来的煤，已经相当于一个中等煤田了。

这还不是最令我们震惊的。日本煤田很少，他们买了煤存放起来慢慢用可以理解，但是，我们都知道日本的森林覆盖率是世界上最高的几个国家之一，比我国高好几倍。而且，木材不像煤，用完了就没有了，它可以再生，伐一些，再栽上，几年过去又成材了。但日本人不这样想，他们严厉禁止砍伐木材，却大量从我国进口木材。

北海道的札幌港口同下关一样繁忙，看到有很多船是从大连来的，装的都是我们东北的原木。而站在札幌的一个制高点上极目远眺，我们看到的是无边无际的原始森林，甚至就在港口卸木材的岸边，那些比运来的原木还要粗的大树毫发无损地站立着，一车车木材从那一排排茂盛的大树边上通过，运到他们的城市里。

日本人之所以这么做，是因为他们担心一旦有一天，资源短缺了，这些储备起来的能源就是他们的救命草。日本人的这种强烈的忧患意识确实让我们的某些国人深思。

“人无远虑，必有近忧”，是一句人人耳熟能详的警语。

深入思索，就会令人豁然开朗。所谓“人无远虑，必有近忧”是指，现在所面临的问题，是肇因于以前没有深思熟虑的作为；同样的，今天的作为如果未经长远的深思熟虑，未来必会尝到苦果，这就是要求我们必须有忧患意识，有危机感。有“危机感”并不代表要保守、退却，而是要具有谋划意识。在积极审慎的心态下，就能达到犯最少的错误，累积最大成就的境界。

王先生家在所在城市算是一个小康家庭。王先生在国企工作，王太太在医院工作。唯一的女儿小雯已经考上了大学。本来这是一个幸福的家庭，可是一切都在小雯取得了去美国留学的签证以后发生了变化。

王先生夫妻二人都十分心疼这个女儿，当得知女儿可以去美国留学以后，两人立即想办法办理陪读。

到了美国以后，却发现在这里生活举步维艰。全家只能靠妻子在超市里面打工的薪水过日子。

其实身边这样的例子也真的不少，可是还是有人在不断地重复这样的选择。有的时候真的替他们惋惜。放着国内好好的前途不要，一下子就把自己抛在了这样一个无助的状态。北美的自然环境固然是好，美国的社会保障系统也固然一流，可是对于这些可以移民过来的人来说，要在中国享受到这些也应该是轻而易举的事情。

如果是为了孩子也许还情有可原，可是孩子难道就真的需要这些吗？要这些孩子们融入这个社会，难道对他们不是一种巨大的压力吗？不知道孩子们是不是会领这个情，也许他们更需要的是熟悉的环境、熟悉的文化和熟悉的亲朋好友。

或许有些人是逼上梁山，不得不为之。一大笔费用已经花出去了，消息也传得尽人皆知了，不出去好像在国内就没有立足之地了。如果是这样，真的大可不必。要知道，“人无远虑，必有近忧。”今时往日不可同日而语，变化远比计划要快很多。北美的生活可能惬意，但是那是对人家本国人来说。对于外来的人，永远都得倾尽全力生活，但是也未必能如你所愿。举个例子，即使你在国内有再多的工作经验，但是没有一纸当地的文凭，恐怕也很难找到合适的工作,这就是现实。这一切都是因为当时没有仔细考虑所带来的恶果。

对个人而言，当学生的时候参加考试，如果你在学校里的成绩很好，一直名列前茅，但是这并没有什么可沾沾自喜的。想要考上名牌大学，你需要和全国所有学校的尖子生竞争，你一样要走独木桥，只有考虑到了这种“危机”，学习的干劲自然就更大了。

毕业了以后参加工作，你很幸运找到一家待遇不错的公司，老板很重视你。但是这也并不就意味你可以高枕无忧了。现在竞争这么激烈，一旦公司效益下滑，进行裁员，每个人都有失业的危险。政策的调整也可能会影响你的升迁，唯一应该做的就是努力增强自己的业务水平，使自己更具竞争优势。这样，当危机发生的时候才可能安然渡过。

生活上也是如此，你一直健康如牛，所以对所谓的医疗和人身保险不屑一顾，但是现在医疗费用昂贵，一旦你生病住院，将会花费远远超过保险金额的金钱，甚至把数年的积蓄毁于一旦。

对企业而言更是如此，即使目前企业的效益再好，竞争依然存在，如果只是满足目前的状况，不思进取，则很可能会被竞争对手所取代。竞争是残酷的，它往往不会给你第二次机会，所以要想在竞争中占据优势，就只能从长远打算，回避各种可能存在的风险，或者把潜在的损失降到最少。

虽说是“人无远虑，必有近忧”，然而凡事应有个尺度，切不可杞人忧天，终日忧心忡忡、无端悲愁。即使生活中确实发生了令人烦恼、焦虑的事情，我们也应振作精神、积极面对，而不该整天闷闷不乐地就此消沉下去。

树立忧患意识是非常必要的，但问题的关键是要树立一种什么样的忧患意识。是低级的害怕心理，还是理性的忧患？回答当然是后者。但树立高级的忧患意识却是说起来容易做起来难。现实中，有很多人在预测形势发展时，谈到有利因素时则是盲目乐观，形势一派大好；一谈到不利因素时则唉声叹气，情绪悲观，前途暗淡，茫然不知所措，不能把握“安”与“危”的辩证关系。

从正确的忧患意识的本质看，“安”应该是事物发展的主流，而“危”则是事物发展过程中可能出现的问题，经过科学的防范是可以避免的。

忧患意识可称之为危机感，是人才最珍贵的思想品格之一，它是人才成熟的思想素质的标志。忧患意识是一个严肃的思维型人才对命运的深沉思虑，是一种对事物的深层次洞察。

对潜在危机的预感和先觉是忧患意识的成因之一。具有忧患意识的人必然具有超前的忧虑和警觉而显示出其真知灼见。在升平时代，当人们如醉如痴地欢庆胜利和成功的时候，他不去参加凯旋者的鼓噪和欢呼，而是安静地徘徊沉思于寂寥之处，沉思那隐藏在成功与胜利之后的危机端倪。他没有浅薄的陶醉感，他为超越现状、获取更可靠的成功而忧思甚至痛苦。在表面莺歌燕舞的虚假繁荣和胜利之时，他独具卓识，透过眼花缭乱的珐琅质似的光辉看到了事物背后的危机和衰朽，忧患意识使之警觉和清醒。

真正拥有忧患意识的人不是高高在上的，在真正危机爆发时，忧患者处变不惊，他不为自己不幸而言中的预言家式的先觉而漠视、傲世人生，嘲笑愚昧，而是积极地参与，竭尽忠诚地疗救时弊，挽狂澜于既倒，救危亡于燃眉。正视危机、研究危机并解决危机，他具有一种严肃的责任感和献身精神。

人欢我忧、人醉我醒、人乱我稳、人退我上——这就是人才的高尚的忧患意识：在成功时冷静，在危机的潜伏期洞察，在危机爆发时挺身而出奉献疗救之策。

多些危机意识和忧患意识，才能正确认识形势，正确认识差距，应对挑战，才能紧紧咬住人生目标，呕心沥血，奋斗不止，攻坚克难，争先进位。

### ◆ 狼的自述

不为明天做好准备，永远不会有未来。今天就准备好明天要做的事情，就永远不会饿死。

## 在顺境中发现危机

最可怕的危险往往藏在最甜蜜的微笑当中。

——培根

在狼的一生当中，虽然大部分时间都是处于战斗和危机当中，但是在与环境斗争、为生存战斗的间隙当中还是有一些闲暇的“娱乐时间”的，尽管这短暂的“休闲时光”弥足珍贵，但是狼群还是保持足够的警惕。在任何休息的时间，头狼总是会安排几只强壮的成年公狼担任警戒的任务，有任何的风吹草动，全体狼群都会马上行动起来，投入到战斗中去。

与狼相比，人类在顺境中发现危机、预防危机的能力就要差很多。中国有句名言叫：“生于忧患，死于安乐。”意思是说，人在恶劣、危险的条件下容易提高警惕、激发潜力去渡过难关，但是如果到了安定的环境当中，人反而会放松警惕、失去斗志，更容易被小困难所打倒。

有一个著名的实验：取两只青蛙，一只放在盛满沸水的容器里，这时候，青蛙因为一下子接触到太烫的水，奋起一跃，成功地从容器里跳了出来，保住了性命。另外一只放在盛有室温水的容器里，然后缓慢加热。一开始青蛙游得自由自在，过了一段时间，水温逐渐升高，青蛙还是没有感觉，就这样，青蛙在毫无防备的情况下被活活煮死了。

在人的一生中，有顺境，也有逆境，而且两者往往交替出现。正如那波涛滚滚的大海，有风和日丽的日子，也有风雨交加的时候。这是客观存在，不以人的意志为转移。我们要想取得成功，固然在逆境中要有战胜一切的勇气，同样在顺境中也要有防微杜渐、迎接未知挑战的准备和决心。

青岛啤酒是我国啤酒业乃至世界啤酒业的著名品牌。上百年的悠久历史、优秀的品质、良好的信用，使青岛啤酒的发展一直处于稳稳当当的顺境当中。但是青啤公司的管理者们并没有在顺境中放松戒备，2003 年 10 月“危机管理组织体系”在青啤公司正式组建。在企业内正式建立一种应对各种危机的组织体系，在国内企业中，尚属首例。

此举表明，青啤公司内部管理与国际接轨的步伐，又向前迈进了重要的一步，企业的可持续发展又多了一层保障条件。

这一组织体系的组建是自上而下进行的。目前，由公司主要领导组成的指挥中心——“危机管理小组”、由 50 多位部门负责人和工作人员组成的日常防范及现场解决机构——“执行小组”，以及由 200 多名各子公司一把手和中高层管理人员组成的“危机管理组织体系”的组织已经完成。至此，企业初步形成了承上启下、上下联动、互为响应的快速反应机制，并配套建立了各类预案体系。

下一步，将进一步在每个子公司内部进行这种体系的建立，把这种机制渗透到每一个基层。据了解，自 2003 年以来，在这一组织体系酝酿和组建的过程中，公司已经进行了不同层次和级别的不同预案的演练。一些已经进行过的预案模拟演练表明，企业总部及部门的反应迅速、职责明确、角色清晰、上报及时、判断得当、处置规范，初步验证了这一机制的可行性和有效性。

危机管理体系的建设是企业国际化不可或缺的重要内涵，是企业诚信和公共形象建设的一个重要方面。所以，青啤公司把它作为国际化大公司战略进程中的一个重要步骤，他们参照国际优秀公司的模本和经验，结合企业自身的特点，以预防为主要立足点，从企业战略、财务、质量、环境、职业健康安全、食品安全到来自社会的冲击和突发事故等，进行了“危机管理”的教育，并设计了不同的应对预案。

目前，青啤公司在国内 18 个省市已有 50 多个生产企业或子公司，而且公司规模还将继续扩张，这一体系的建立和运行，将在公司上下，普遍树立一种危机意识和形成一种危机应对能力，可以有效地调动各种资源，积极预防和消除、化解危机萌芽，为企业的不断扩张和稳步发展创造有利的条件。

正是依靠这种在顺境中不放松应对危机的做法，才使得青岛啤酒几十年来大厦稳固、历经风雨依然巍然不倒。

企业如此，对于个人也是一样，即使是在顺境当中也始终都要有一种危机感。这种危机感，不是来自内部的压力，也不是单纯的外部环境影响，而是一种处事的心态，时刻警觉求生存就好像如履薄冰，一不小心就会掉进窟窿。危机意识可以让我们知道怎样去务实、怎样去创新、怎样去求变，而不至于屈居人后。

事实上，办企业，求生存也好，求发展也好，逆境也好，顺境也好，都如履薄冰。但是只要我们时刻保持这种危机感的心态，并采取必要的措施，那么逆境中会转危为安，顺境中会把危机消灭于萌芽之中，更上一层楼。

在现在竞争越来越激烈的社会环境当中，没有人相信眼泪，也没有人怜悯弱者。有人认为在顺境当中还把自己弄得“神经紧张”是一种杞人忧天的做法。实际上，没有危机感本身就是一种危机。人在顺境的时候，尤其要有危机意识。要居安思危，就要多想想：我们的工作水平跟同行的先进水平相比还有多大差距？效率能否有较大提高？有没有欠缺？特别是要抛弃所谓的“优越感”。现在的企业和社会，在考察一个人的时候，并不把所谓的“学历”“职位”“工作经历”作为主要的砝码，而是把工作能力当成唯一的衡量标准，而应对危机的能力在工作能力当中是极其重要的一环。

认真想想自己有哪些先天不足和后天缺陷，并针对其中的关键问题和薄弱环节，及早调整对策，采取整改措施，向最好的学，与最强的比，往最高处攀。密切结合自身实际，依靠成熟、稳健、理性的发展思路，扎实推进各项工作的全面进步，以适应更为严峻的职业竞争。

我们没有理由盲目乐观，更没有理由悠然自得，必须增强危机意识，从本职工作的点滴做起，踏实工作。在具体生活和工作中，要多学习、多思考、多实践，把握现实，使自身综合素质与能力得到更大的提高。

现在，很多人身上不同程度地存在着“小富即安，沾沾自喜”的心理，这是缺乏危机意识的典型表现。我们一定要克服这种心理，正视危机，增强危机意识。这样，危机到来时，我们才不至于措手不及，处理问题才会更加得心应手。

忧患意识和希望同在。没有希望就没有忧患意识，没有忧患意识就没有希望。只有固步自封、自以为是、不求上进者才没有危机感和忧患意识。危机是催人创新创业创优的最大动力，具有危机感和忧患意识的人，永远充满希望，永远前进。

◆ 狼的自述

要想顺利地生存下去，不仅要有力避危险的勇气，更要有发现危险的能力。如果你嗅不到明天的危险，那么明天就可能是你的死期。

## 狼从来不“抱佛脚”

明者见危于无形，智者视祸于未萌。

——《文选·钟会·檄蜀文》

在一望无边的大草原上，一只狐狸吃饱了，安适舒服地躺在草地上晒太阳。这时候，一只狼气喘吁吁地从它身边经过，焦急地说：“你怎么还躺着，难道你没听说，狮子要搬到咱们这里来了，还不赶快去看看有没有别的地方适合咱们居住。”

“狮子是我们的朋友，有什么可怕的，再说这里的羚羊这么多，狮子根本吃不完，别白费力气了。”躺着的狐狸若无其事地说。那只狼看自己的劝说没有效果，只好摇摇头走了。

后来，狮子真的来了，只来了一只，但由于狮子的到来，整个草原上羚羊的奔跑速度变得快极了，这只狐狸再也不能像从前那样轻而易举地获得食物了。当它再想搬到别处去时，却发现食物充足的地方早已经被其他动物捷足先登了。

这个故事告诉我们，危险无处不在，唯有踏踏实实地做好准备，才是真正的生存之道。否则，当你醒悟过来的时候，危险早已经降临到你的头上了。

在上面的章节当中我们讲过亡羊补牢的重要性，但是那毕竟是一种被动的做法。危机分两类，一类是可以挽救的，而另一类则是不可挽救的。对于不可挽救的危机，如生命等等，亡羊补牢的做法是起不到任何作用的。即使是可以挽救的危机，我们也应该尽量避免其发生，因为“亡羊补牢”固然能防止危机或者伤害的继续发生，但是损失已经存在了。如果能避免危机发生的话，那么就不会有什么损失了。

2005年是世界上一个多灾多难的年头，印度洋海啸、北美飓风、南亚地震，等等，给全人类带来了巨大的灾难和损失。虽然全世界的人们都对灾区伸出了援助之手，受灾国家也进行了积极的补救，但是巨大的伤亡人数还是让无数的人和家庭陷入深深的悲痛当中。

亡羊补牢虽然避免了损失的扩大，但是对于既成灾难却无能为力，印度洋海啸死亡人数达几十万，南亚地震死亡也有数万人，而美国的新奥尔良市则成了劫匪的乐园。人们不禁反思，如果这些地区的国家和政府在事先能够未雨绸缪，多做一些应对灾害的准备工作的话，损失会不会有这么大？答案当然是否定的，在这一方面做得最好的是日本。

日本是一个岛国，其地理位置在亚欧版块和太平洋版块的交接处，是火山、地震、海啸等重大自然灾害的高发地区。有史料记载的七级以上地震就高达数十次。

饱受自然灾害威胁之苦的日本人有着强烈的危机意识，他们对自然灾害的未雨绸缪措施是世界上其他国家难以比拟的。

日本有世界上最先进的海啸、地震预报系统，以确保在海啸、地震发生前，给群众争取尽可能多的逃生时间。日本的孩子在上学的时候就开始接受一系列的预防自然灾害基础知识的教育，一些城市每年都会举行一些模拟地震演习。

日本的房屋绝大多数都经过严格的防震处理，能够抵抗较强的地震。正是因为如此，进代日本虽然发生了几次严重的地震，但是都没有造成大的人员伤亡。

我们在日常生活中做事也是一样，应该未雨绸缪，居安思危，这样在危险突然降临时，才不至于手忙脚乱。“书到用时方恨少”，就拿考试来说，平常如果不努力学习，等到考试来临前，天天熬通宵补课，最后非但没有补上去，身体还累垮了，这种“临时抱佛脚”的做法是来不及的。

在工作的时候也是如此，有些人平时工作不认真，等到公司考核、发奖金或者升迁的时候，几天内跟变了一个人一样，这样“临时抱佛脚”的方法有时候反而会适得其反，引起别人的厌恶。

再说保险，很多人平常没有防患于未然的意识，认为没必要花“多余”的钱去购买保险，等到生病了以后才想起办理医疗保险，这时候保险公司已经不会受理了。如果刻意隐瞒病情，还可能被起诉欺诈。还有自然灾害，电视上预报台风来了想立即投保避免损失，但保险公司往往拒绝。一般是气象预报已告知某种灾害天气即将到来，那就从告知那天起，直到灾害天气结束，保险公司都不会办理相应的险种。

所以买保险要未雨绸缪，不能临时抱佛脚。现在的家庭财产保险、企业财产保险、机动车辆保险中一般都涵盖了因为台风、暴雨、暴风、洪水带来的损失赔付。但是地震倒是比较特殊，除非特别约定和附加，否则不在赔付范围内，但总的来说还是要早一点投保。

现在的职场竞争激烈，每个人都有被淘汰的危险，要想让被淘汰的风险远离自己身边，唯一的办法就是多做些准备。

在任何一家企业和工厂，都有一些常规性的调整过程，就好像人体的新陈代谢一样。公司负责人经常解雇那些无法对公司有所贡献的员工，同时也吸纳新的成员。无论业务如何繁忙，这种调整一直在进行着。那些已经无法胜任工作、缺乏才干的人，都被摒弃在企业的大门之外，只有那些最能干的人，才会被留下来。

这种被淘汰的风险，是我们每一个人都非常关注也都感到非常困惑的问题，因为这种风险是没有亡羊补牢的可能的，一旦被淘汰，就无法挽回。应对这种风险最基本的方法就是有所准备，准备工作多做一分，相应的风险就会减少一分。

这就要求我们无论对待任何工作都必须具有“万一……怎么办”的意识，做到凡事都未雨绸缪、预做准备，从而减少风险发生的几率。与之相对应的是，你所做的准备越少，承受的危险就会越大。这个道理在自然界早已得到了很好的印证。

也许有人会说，有些事情是我们个人的力量所无法控制的，对于这些事情，做再多的准备也没有用。虽然你无法控制危险的发生，但可以凭借充分的准备来减少甚至避免危险所造成的损失。就像遭遇到自然灾害一样，虽然你无力改变，但有没有准备，后果却是截然不同的。

有这样一则寓言，在远古的地球上，生活着种类繁多的爬行动物，有恐龙，也有蜥蜴。一天，蜥蜴对恐龙说：“我发现天上有颗星星越来越大，很有可能要撞到我们。”恐龙却不以为然，对蜥蜴说：“该来的终究会来，难道你认为凭咱们的力量可以把这颗星星推开吗？”

恐龙依然我行我素，而蜥蜴则每天都在挖洞，以备不时之需。

灾难终于发生了。一天，那颗越来越大的行星瞬间陨落到地球上，引起了强烈的地震和火山喷发，恐龙们四处奔逃，但最终很快在灾难中死去。而那些蜥蜴，则钻进了自己早已挖掘好的洞穴里，躲过了灾难。

看来蜥蜴还是比较聪明的，它知道虽然自己没有力量阻止灾难的发生，但却有力量去挖洞来给自己准备一个避难所。

面对大的动荡或变革，人们的心态无非就是两种，一种是恐龙型的，一种是蜥蜴型的，但能够站在胜利彼岸的总是早有准备的蜥蜴型。

社会的发展、科技的更新使我们的工作和生活处在一种急速变革的时代，这种趋势是无法改变和逃避的。在这种情况下，如果你像恐龙一样不去做准备的话，被淘汰的命运就会降临到你的身上。就像下面要说的这个工人一样。

在某个钟表厂，有一位工作非常卖力的工人，他的任务就是在生产线上给手表装配零件。这件事他一干就是 10 年，操作非常熟练，而且很少出过差错，几乎每年的优秀员工奖都属于他。

可是后来，企业新上了一套完全由电脑操作的自动化生产线，许多工作都改由机器来完成，结果他失去了工作。原来，他本来文化水平就不高，在这 10 年中又没有掌握其他技术，对于电脑更是一窍不通，一下子，他从优秀员工变成了多余的人。

在他离开工厂的时候，厂长先是对他多年的工作态度赞扬了一番，然后诚恳地对他说："其实引进新设备的计划我在几年前就告诉你们了，目的就是想让你们有个思想准备，去学习一下新技术和新设备的操作方法。你看和你干同样工作的小胡不仅自学了电脑，还找来了新设备的说明书来研究，现在他已经是车间主任了。我并不是没有给你准备的时间和机会，是你自己放弃了。"

新设备、新技术、新方法能帮助企业提高 10 倍的工作效率，这种更新换代是谁也阻止不了的。但你有没有考虑过给自己的工作能力也进行更新，从而为这种变化做好准备呢？

在这种情况下，如果你不想被你的工作所淘汰，你就要有意识地多做准备，在工作中逐步提高自己的能力，而且这种提高的速度比环境淘汰你的速度要快。

多一分准备，少一分风险。你意识到了吗?

防患未然与亡羊补牢处于同等重要的位置。防患未然首先是承认危机的客观存在，防患未然是减小错误的必要手段。防患未然可以让我们在出手时获胜的概率增大，获胜的概率增大。但既然是概率就必然存在错误的可能，即使是99.9%的成功，失败的可能性还是存在的。但如果出现错误怎么办呢?那立即可以启动亡羊补牢机制，启动风险应急方案。因此，亡羊补牢的本质是风险应急机制。

### ◆ 狼的自述

王者与强者的区别就在于：强者只拥有强大的力量，而王者则兼具力量与智慧。凡事都要准备充分，强大的力量不如万全的准备。

## 把小事当大事来做

一只扇动翅膀的蝴蝶甚至可能引起一场毁天灭地的飓风。

——现代格言

生存无小事，这是狼群永远的座右铭。从狩猎到嬉戏，从生育到成长，任何一点差错对于与自然抗争的狼来说，都可能是致命的。所以，狼在抓一只兔子或围猎一千只黄羊时，都同样聚精会神，全力以赴。因为它们知道，只有把小事当大事来做，生存才会更容易、更美好。

2003年2月1日，载有七名宇航员的美国“哥伦比亚”号航天飞机在结束了为期16天的太空任务之后，返回地球，但在着陆前发生意外，航天飞机解体坠毁，七名宇航员全部遇难。

事故发生时，全世界数十亿人通过电视直播目睹了这次灾难，这次灾难对美国乃至世界的航天事业造成的损失和影响都是巨大的。然而，事后的调查表明，引发这次事故的原因是飞机外部的一小片隔热瓦出现了松动，而修复这片隔热瓦所用的工具仅仅价值一美元！

就是这一美元的疏忽，造成了价值几十亿美元的航天飞机坠毁，夺去了七名优秀宇航员的宝贵生命，各种有形无形的损失更高达数百亿美元。“失之毫厘，谬以千里”。生活中很多大的危机都是因为一些不起眼的小事情引起的，一个蚂蚁洞可能引发整个大堤决口，一个烟头可能引发漫天大火。对小事情的疏忽往往会引来大灾难。所以，在有强烈危机意识的人眼里，那些细小的事情也同样不容忽视。只有把小事情当成大事情来做，才能万无一失。

在改革开放初期，沿海各个城市都在努力引进外资以促进自身发展。一次，某海滨小城获得一个绝好的引进外资的机会——世界上一家著名的药品公司打算到小城投资办厂，预期的投资额为 10 亿人民币。这于小城来说是难得的财政来源。

为了确保给外商创造一个好的投资环境，留下一个“完美”的印象，市领导专门召开了一次会议，对市容市貌做了一次大规模的改造，专门建设了一个开发区。

外商来了以后，彻底被小城美丽的景色、干净宽敞的街道、热情好客的人们所征服，一切谈判都十分顺利，只要最后看一眼将来的厂房就可以签订正式的合约了。

第二天，在市政府一行人的陪同下，外商来到开发区，面对整洁、宽敞的厂房连连点头。但是这时候，一个负责清洁的工人随口往地上吐了一口痰。外商愣了一下，没说什么，继续参观。

回到宾馆以后，外商立即打电话给相关负责人，明确表示，撤销原来的投资计划。在电话里，外商说了一下吐痰事件以后严肃地说：“我们要建设的是制药企业，人命关天啊。对个人卫生如此草率我们是绝对不允许的。”

小城领导什么大的方面都想到了，但是一口痰，断送了这一切。这种事情看起来有些戏剧化，但却不得不让我们深思。

“千里之堤，溃于蚁穴”，并不是单单发生在故事当中，在现实生活中也有活生生的例子。自1970年以来，广东省清远县一共溃堤13条，塌坝9座，查实其中有9条堤围和5座大坝是土白蚁为害的结果；1986年7月广东省梅州市发生建国以来的特大水灾，梅江决堤62条，其中土白蚁造成的缺口55个；1981年9月广东阳江市境内的漠阳堤段出现18个缺口，其中查实有6个是土白蚁为害所致。小小蚂蚁，竟然有如此大的破坏能力，这不能不让我们震惊。

古时候有个人，一直对别人说：“我将来一定要做大事业，而且是‘扫清天下’的大事业！”别人都很佩服他。可是过了一段时间，邻居发现他住的房子十分肮脏，东西乱扔、满地垃圾。好心的邻居劝说他：“你怎么不把自己的屋子打扫一下？”这个人不屑地说：“我是干‘扫清天下’那种大事情的人，这种打扫屋子的小事情我是绝对不会去做的。”大家听了，都笑话他说：“连自己住的房子都懒得打扫，又怎么能‘扫清天下’呢？”

“一屋不扫，何以扫天下？”小事情都做不来的人又怎么能够应对大危机？我们在生活和工作当中，也要注意一些看起来无关紧要的细节。细节决定成败，小事成就大业。把每一件简单的事做好就是不简单，把每一件平凡的事做好就是不平凡。对于成功，我们可以用简单的加法来计算，100%的成功等于100个1%的努力相加；

可是对于危机和失败，我们却不能用简单的减法来衡量，100 减去 1 往往并不等于 99，而是等于零。1% 的细节上的错误，往往会导致 100% 的失败。

我们在工作当中，有些人往往会想：只要我把工作完成了就可以了，别的事情做不做都无所谓啦。殊不知，在现实的社会当中，因为工作性质限制，往往很难看出大家在工作能力上的明显差别，领导在考核、选拔人才的时候，如果在能力上没有大的差别，他们的目光和注意力往往会落在一些工作上的小细节上。一些员工被淘汰、被解雇，原因往往并不是因为他们的工作能力比别人差多少，而是因为他们平常不注重工作细节。

一家著名企业招聘员工，很多优秀的人才都参加应聘，面试的屋子外面坐满了人。一个个进去，没多久，又一个个垂头丧气地走出来。最后只剩下一个只有中专学历的女孩子，看到那么多人都被淘汰了，她也不抱什么希望了，但是毕竟已经等了几个小时了，她抱着试一试的态度进了面试的房间。

果然，面试的题目十分专业，也很难，就连她自己也觉得自己没希望了。果然不出所料，面试官客气地说："你先回去吧，有了结果我们会通知你的。"女孩知道，这只不过是一种委婉的拒绝方式而已。

但是女孩还是站起来，礼貌地朝面试官鞠了一躬，说了声谢谢，就转身往外走。这时候她看见门旁边的一把扫帚倒在地上，就顺手扶起来摆正了。

没想到的是，第二天女孩就接到了去公司报到的通知，她被录取的理由是：一把扫帚放在那里，之前的 100 多个参加面试的人都视而不见，只有这个女孩把它扶起来。这样对细节工作都如此细致周到的人做工作一定会做得更好！

同样，在工作当中有很多时候不注重细节会带来不好的后果。有的人每天在做核对付款票据等收据或进行日常事务处理之类的琐碎的事情时，往往延误时间，甚至一直延误到经理或者会计来催促他时为止。

而他却想："真是麻烦，我这个月已经完成指标了，还催我，如果有开发票的时间，倒不如多跑一点业务呢。"也许他认为开发票根本就不算是什么工作，但在经理和主管看来，那才是真正的工作呢。

做过财务管理的人都知道，如果平常不把一些票据分类管理好，到了总结的时候往往就会一团糟。如果出现了对不上账的情况，财务管理严谨的人往往几分钟就能找出问题的所在，而那些平常不注重这些小细节的人则可能会忙碌上一整天。

小事不小，一根头发可能牵扯到一头大象。我们平常在处理票据、写作文稿的时候对其中的个别笔误往往忽略不计，这也可能引发重大的事故。

一次医学实验课上，一个学生忽然发现自己在所填写的用药量上漏了一个字，把"毫克"写成了克。他马上对教授示意说需要加上一个字。教授看了看手表，摊开手，遗憾地说："病人已经在1分30秒前因为用药过量离开人世了！"

不仅仅是医药行业，其他行业也是如此，我们在本节开篇的时候提到的"哥伦比亚"号航天飞机失事就是一个最好的例子。

中国近代曾有一个败在一撇上的战争。1930年，正是我国国内军阀混战的时期，阎锡山、冯玉祥组成"反蒋联盟"，并打算在两省交界处"沁阳"突袭河岸南边的蒋介石军队。在战争打响的当天凌晨，阎锡山的情报人员误将"沁阳"写成"泌阳"，巧的是，淮河南部真有一处叫泌阳的地方。于是阎、冯二军误入“泌阳”，以至贻误了战机，被后来居上的蒋军处处牵制，终于不敌。

这意外是什么？居然只是一撇！在平时看来，只是一个微小得不能再微小的细节罢了。败在细节上的事，中外皆有。

古人云：“失之毫厘，谬之千里。”这看似不经意的小偶然，直接导致了失败的必然。不仅事情如此，推广到人身上，也一样。大家的起点大致相同，平时也都差不多，为什么大浪淘沙到最后，只有少数人才是那金字塔尖？秘诀就在于好习惯一点一滴地积累，原子构成分子，水珠汇成江海，细沙垒成高山，没有原子、水珠、细沙，何来大千世界？

每个年轻人都经常有这样的想法：“我一定要努力成就大事业！”但是在寒冷的冬天，我们早上醒来，发现外面的冰雪世界，却总是喜欢对自己说：“只不过是一天而已，就让我再睡一个小时懒觉吧！”殊不知，我们的生命就是由这一个一个小时、一分一分的时间构成的，等到年华逝去、危机出现再摇头叹息，就悔之晚矣！

### ◆ 狼的自述

一根最细小的鱼刺也可以扎破喉咙，一只麻雀大小的肉也可能挽救一条强壮的生命。生存无小事，珍惜每一口食物，把它当做救命的一口。

## 亡羊补牢，为时未晚

错误并不可怕，可怕的是明知道错了，还死不悔改。

——萨克雷

在狼活动频繁的大兴安岭森林的少数民族猎户口中，流传着这样一句话："同一个陷阱永远不会陷进去两只狼。"与万物之灵的人类相比，狼的智慧显然不足，但是有经验的猎户都知道，在同一片区域，你用同样的方法很难抓到两次狼。因为有了第一次的教训以后，所有的狼都已经对这件事情心存警惕了。

世界上没有任何一个人可以把任何风险都考虑到，所以，没有任何一个人在生活当中可以一帆风顺。那些我们没有发现的风险一旦发生，我们是应该喟叹自己没能考虑周全，防患于未然，还是应该积极补救，争取把损失降低到最少？答案很显然是后者。

战国时代，楚国有一个大臣，名叫庄辛，有一天对楚襄王说："你在宫里面的时候，左边是州侯，右边是夏侯；出去的时候，鄢陵君和寿陵君又总是随着你。你和这四个人专门讲究奢侈淫乐，不管国家大事，咱们楚国要危险啦！"

襄王听了，很不高兴，骂道："你老糊涂了吗？故意说这些险恶的话惑乱人心！"

庄辛不慌不忙地回答说："我实在感觉事情一定要发展到这个地步的，不敢故意说楚国有什么不幸。如果你一直宠信这几个人，楚国是一定要灭亡的。你既然不信我的话，请允许我到赵国躲一躲，看事情究竟会怎样。"

庄辛到赵国才住了五个月，秦国果然派兵侵楚，襄王被迫流亡到阳城。这才觉得庄辛的话不错，赶紧派人把庄辛找回来，问他有什么办法；庄辛很诚恳地说："我听说过，看见兔子才想起猎犬，这还不晚；羊跑掉了才补羊圈，也还不迟。"

这就是我国历史上著名的"亡羊补牢"的典故，现实生活中也经常有这样的例子，因为平常的疏忽，为将来危机的发生埋下了伏笔，等到真正危机发生的时候却不知所措。

其实，在现实生活当中没有人可以做到面面俱到，难免会有防范不到的地方，加上自然环境、社会环境千变万化，危机的发生是难免的。这时候我们不应该惊慌失措，更不应该怨天尤人，而应该冷静地面对，想出解决的方案和补救的办法，以争取把损失减少到最小。

现代的企业，需要攻城拔寨的闯将，也需要脚踏实地的干将，更需要能够拾遗补阙的“补将”。亡羊补牢并不是单纯地缩小损失那么简单，有时候还可以把坏事变成好事。

美国农产品公司是世界上最大的农产品经营企业，业务遍布全球。一次，公司派遣夏洛克运送一批小麦和玉米到南非。虽然运送的货物达数十万吨，但是在夏洛克执行的任务当中，这只不过是很普通的一次而已。所以他并没有把这次任务看得十分重，只当做一次去非洲的旅游而已。

天有不测风云，当货物运抵南非的时候，夏洛克却发现与公司合作的南非公司在前一天被法院宣布破产。这次的交易自然也就泡汤了。

怎么办？把货物运回美国？这意味着要承担来回数万公里的昂贵运输费用和粮食腐烂的风险。在南非就地找客户卖掉，这当然是亡羊补牢的上上之策。但是数十万吨的交易量在短期内根本就不可能找到这么大的买家。南非炎热的气候和简陋的储存环境显然不允许夏洛克耽误太长时间。

心急如焚的夏洛克忽然看见报纸上的一则新闻，原来南非有些地区出现了蝗灾，大批的饥民亟待救济。夏洛克计上心头，一方面，他抓紧派人与美国总部联络，另一方面他亲自与南非有关部门接触。

终于，两天以后，在船队停泊的港口上举行了一场盛大的捐赠仪式，夏洛克代表美国农产品公司把 36 万吨粮食无偿捐赠给了正处于饥荒当中的南非难民。南非几乎所有媒体和部分国际媒体都对此事做了详细的报道。

这次“亡羊补牢”的捐赠活动使美国农产品公司获得了南非政府和人民的极大好感，也使美国农产品公司在国际商界获得了良好的口碑。在以后的时间里，南非政府对美国农产品公司的交易给出了很多优惠的政策，使其在南非获得的利润比36万吨粮食的成本要高出百倍。

在我们的身边，有很多人是完美主义者，他们力争把每一件事情都做到最好。这种争取把事情做到最好的态度是值得肯定的，但是追求完美是一种心理极端的表现形式。追求完美者渴求抓到所有有用的机会；追求完美者渴求用最少的付出来获得最多的回报；追求完美者渴求每一次努力都能获得最大的成功。追求完美的核心为不犯错误的心理假设，追求完美者希望每一次判断都是正确的，每秒钟的效率都是最高的。但这种假设理论显然是站不住脚的，因为在现实生活当中是不可能存在的。

完美主义者同其他人一样，不可避免地要遭受挫折，一旦危机降临，他们往往没有具体解决或者缓和危机的能力。著名的成功学家卡耐基说：“完美主义者就好像是一个蹩脚的泥水匠，他们只懂得盖楼，却不懂得维护。”要想成为一个处理危机的高手，首先要做的就是从“自我万能论”的思想误区当中走出来。

要想处理好危机，首要一点要承认危机客观发生的可能性。这是正确对待生活的一种态度。只有承认危机的客观存在才可能去寻求减小危机带来损失的解决之道，才能寻求降低因危机导致负面影响的方案。一个成熟的人不仅仅应考虑怎样万无一失，而且更应考虑亡羊补牢的措施和手段。

一个国家为什么会有公安机关，为什么会有消防局？如果整个社会都完全消除了治安隐患和消防隐患，那么这些机构就没有存在的必要。那么为什么还存在呢？因为完全消除治安隐患和消防隐患是不可能的，所以，当我们意料之外的火灾发生时会有消防队员去救火，当突发的治安情况发生时会有警察来处理。这的确是一种亡羊补牢的办法，虽然有些被动，但是却是十分必要的。

厦门特区建设之初，由于建设的需要，一些个体业主抢先在岛内外的湖边水库、白虎岩、英地头以及同安等地办起10多处采石场。他们采取越界开采、蚕食扩大、无证开采等办法，把岛内外的不少山头炸得遍体鳞伤。个人的腰包鼓了，国家的矿山资源却被破坏，造成新的水土流失。在人大代表、政协委员们的呼吁下，厦门市政府下大力气封闭了这些采石场，同时每年掏钱进行植树造林治理裸露山体，使昔日一处处采石场重披绿装。

亡羊补牢终未晚。经过反思，人们认识到保护绿色家园的重要性，决不能再走那种先污染后治理的老路。

人非圣贤，孰能无过？犯了错误，改过自新、亡羊补牢是好事，但是改过往往需要一个痛苦而漫长的过程。

当然，解决危机的最好方法并非亡羊补牢，把危机消灭于萌芽状态，避免损失的发生才是上上之策。但是如上面所说，并不是所有的危机都是可预见的，也并非所有的失误都是可以避免的，所以亡羊补牢的手段也是必不可少的。正确地解决问题的方法应该是：未雨绸缪前行，亡羊补牢殿后。

### ◆ 狼的自述

同一个陷阱永远不可能抓住两只狼。犯一次错误可以原谅，但是连续犯两次同样的错误就只能是不可救药的蠢货。

# 第8章

# 能者为王　铁血领袖

在草原上，毫不夸张地说，只要一发现狼群，所有的动物都会闻风丧胆。狼群之所以会有如此大的威慑力，这和头狼的领导能力密切相关。在头狼的指挥下，狼群就好像是一个整体，攻无不克，战无不胜。所以有经验的猎人与狼群的斗争，往往就是与头狼的斗争。狼的领导艺术，是值得我们人类好好学习的。

## 能力——世界只相信强者

用道理说话不如用能力说话。

——丘吉尔

狼群选择首领并不像我们人类一样通过任命来决定，也不是由投票来决定，而是通过血淋淋的厮杀产生。在挑选首领的时候有的狼受伤，甚至有的狼会死去。在弱肉强食的世界里，要想团队更加强大，就只有让最强的狼作为领头者。狼对于强者有一种天生的崇拜，只要首领通过搏斗产生了，那么所有的狼就会誓死跟随它。

毫无疑问，现在的世界就是一个弱肉强食的世界，作为一个领导者，如果没有足够的能力，非但领导不好自己的集体，更有可能引发下面的不满，造成分崩离析的大危机。

唐太宗李世民即位以后，对一些有功的将领大加封赏，不过同时，他也提拔了一些年轻人做了将军。而对一些老部下则只是发了一些财物，并没有委以重任。很多老部下都十分不服气，不过碍于皇帝的威严，不敢当面发牢骚。一天，李世民又提升了一位年轻的将领，一个脾气火暴的老臣忍不住了，对皇帝抱怨说："陛下你做事要公平啊！这样不公平怎么能服众？"

李世民早就知道一些老部下心里不满，所以并没有生气，而是故作糊涂地问："我哪里不公平了？"部下说："论资历，我跟随陛下时间长还是那小子跟随陛下时间长？"李世民说："你跟随我有二十多年了，他才二十多岁，当然你跟随我的时间长了。"部下又说："论功劳，他参与的战役多还是我参与的战役多？他杀的敌人多还是我杀的敌人多？"李世民摸着部下的肩膀，感慨地说："你跟随我南征北战，杀死的敌人估计比他见过的还多。"

那位部下跺了跺脚说："那么为什么他现在的职位却比我高很多？陛下这么做竟然还说自己公平？"李世民哈哈大笑："那么，我反过来问你一个问题，现在如果突厥十万大军来犯，我给你三万骑兵。你能打得赢吗？守得住守不住？"部下仔细考虑了一下，诚恳地回答说："依城而守，我可以勉强守住。"

李世民又问："那么同样情况下，让我提拔的那个年轻人领兵，又会是什么结果？"部下回答说："我和他在一起待过三个月，带兵之能，我不如他。他带兵的话，三万骑兵可能击溃敌人十万大军。"

李世民笑着说："那你还觉得我不公平吗？国家任用大臣应该是唯才是用，能者居之。这样国家才能更强大。我知道你和一些我的老部下固然功劳很大，这一点我绝对不会忘记，但是治理国家、选用人才并不是单纯靠功劳大小这一点来决定的。如果你和他的能力差不多，那么将军的职位我一定给你留着！"

老部下听了这些话，终于心悦诚服了。其他不满的人听了以后，也不再发牢骚了，而都去努力读书演兵，提高自己的能力。

在以前完全计划经济的国有企业里面，很多领导都是靠资历吃饭，都是从基层一点一点地“媳妇熬成婆”的。这样做，导致很多人根本就不愿意主动提高自己的能力，这也是很多大型国有制企业思想僵化、长期裹足不前的原因。

对于选拔和任用官员，李世民给了我们很大的启示，应该是“能者居之”，而不应该是“长者居之”。领导本身就应该比下属在某些方面要优秀，用通俗一点的话说，要“服众”。

很多人都熟悉《三国演义》中的故事，刘备似乎是一个很平凡的人，文不能文，武不能武，但是他却从一个“织席贩履”的市井布衣，逐渐成为三分天下有其一的蜀汉皇帝。他的手下有关羽、张飞等叱咤风云的五虎上将，有号称中华民族智慧化身的军师诸葛亮。其中任何一个人在能力上看起来似乎都要比刘备高许多。从表面上看起来刘备这个领导似乎确实没什么能力，但是为什么却可以成为“人上人”呢？我们可以用历史上另外一个著名帝王的例子来解释其中的奥妙：

经过历史上著名的楚汉相争，汉高祖刘邦终于战胜了西楚霸王项羽和大大小小的诸侯，统一了中国，建立了强大的西汉王朝。其中刘邦手下最得力的大将是被称为“兵圣”的韩信，在一次宫廷宴会上，刘邦饶有兴致地问韩信：“你对用兵打仗是最擅长的了，今天你说说看，我可以带多少兵？”旁边的陈平连忙朝韩信使眼色，暗示他尽量多说，没想到韩信考虑了一下，说：“如果陛下带兵打仗，我觉得两千就差不多了。”

刘邦的脸色开始变得难看，但是还是没有发作，继续问：“那么如果是将军你来带兵的话，最多能带多少呢？”韩信笑了笑，不顾陈平的暗示，自信地说：“我如果带兵，当然是多少不拘，多多益善了。”

刘邦终于忍不住了，生气地说：“难道我这个当皇帝的还不如你这个当将军的不成？”

韩信不慌不忙地说：“当然不是，论带兵打仗，我是当仁不让。但是我这种才能只不过是将兵之才，而陛下的才能则是统领百官，是将相之才，我怎么可能比得上陛下呢？”刘邦听后哈哈大笑。

作为一个合格的领导者，必须要有其特殊的能力，有“将将之才”，当然这样还不够，因为现在社会风云变幻，要想自己在领导岗位上站稳脚跟，还必须不断努力提高自己的能力。

要把学习作为提高个人能力的第一途径。学习，是人类认识周围的自然环境，不断充实、完善和发展自我的必由之路。

当今时代，人类正处在从工业型社会向信息型社会转变的过程中，知识老化速度和更新周期不断加快，政治、经济、科技、军事、文化等各领域的新情况、新技术、新知识层出不穷，“知识爆炸”“能力恐慌”成为许多领导的真实写照和切身体验。作为企业或团体的领军人物，要切实增强学习的责任感和紧迫感，带头更新知识，勤奋思考探索，才能始终保持先进性。要经常审视自己终身学习、处处学习的观念牢不牢，不学则退的危机感紧不紧，学习新知识的能力强不强，再学习的积极性高不高，把学习当作人生立业、修身的第一需要和个人的基本能力。不但要爱学、好学，还要善学、能学。不但自己要做学习型领导，还要把自己负责的系统、单位、部门建设成为学习型团体。

要审视自己的能力素质，保持和发扬良好的精神状态。国画大师齐白石从 27 岁专门从事绘画以后，“不教一日闲过”，只是在患病和母亲生病的十几天里才间断过作画。老先生 85 岁那年，有一天天气不好，无心作画。第二天，他一连作了五幅画以“补充”前日的空缺。应该看到，我们的一些领导干部学习上往往热一阵、冷一阵。有些同志则感到手下各类人才很多，认为当领导主要是把方向、定决策，自己知识结构陈旧一些问题不大。应当说，这些想法是不对的。江泽民同志指出："我们的高级干部，特别是各地区各部门主要负责人，是负责全面工作的，他们的知识和才干应力求全面，既懂自然科学知识，又懂社会科学知识；既有丰富的书本知识，又有丰富的实践经验，这样才能把全面的领导工作担当好。"领导干部要时刻提醒自己，昨天的能力素质已不适应今天的需要，今天的能力素质难以完成明天的任务，在审视自己能力素质时，正视差距，发扬时不待我、精中求进、"不教一日闲过"的精神。

◆ 狼的自述

夜莺声音好听，但换不来饭吃。与其有时间嚎叫，不如去磨磨爪子；嚎叫如果能得到食物，那驴一定比狼还厉害。

## 铁腕——把权力握在手里

乱世用重典。

——诸葛亮

每个狼群里都有一只身强力壮的头狼，它是狼群的首领，拥有至高无上的权力，所有的狼都要无条件地服从头狼的命令。正是因为如此，狼群才有了严格的组织纪律和强大的战斗力。

狼如此，人也是一样。俗话说"千军易得，一将难求"，说的就是这个道理。领导，要想行使其职责，首先要具备一定的权威，要有掌控大局的权力和实力。作为领导者，如果没有一定的权力作保证，很可能就会被架空成为一个被手下左右的"傀儡"。

中国的封建王朝长达数千年，行使的制度是封建君主集权制，但是为什么有的皇帝可以呼风唤雨，成就千秋伟业，而有的皇帝却身陷囹圄，甚至连基本的人身自由都受到制约。当然这和统治者的为政贤明有关，但是大权旁落，“臣压君”也不能不说是一个主要原因。

宋太祖经历过五代十国、军阀混战的乱世局面，对君权旁落的危害深有感触，所以统一全国以后，马上就开始着手准备解除那些开国元老手中的兵权。

但是他并没有采取汉高祖刘邦那样屠杀开国功臣的做法，而是运用了一些相对温和的手段。一天，他聚集了所有的王公大臣在一起喝酒。酒到半酣的时候，宋太祖忽然变得愁眉苦脸、唉声叹气起来。众人连忙问怎么回事，宋太祖说：“你们还记得我们是怎样起兵的吗？当时我还是前朝的一名将军，你们硬是把一袭黄袍披在我身上，现在我当了皇帝，想起来就有些害怕啊。”

众将领马上都跪在地上，表示要誓死效忠皇帝。宋太祖叹了口起说：“我不是不相信你们，可是如果有一天，你们的部下也硬要把黄袍往你们身上盖，你们也身不由己啊！”

将领们一听，知道皇上是什么意思了，纷纷表示愿意交出兵权，告老还乡。第二天，宋太祖对开国功臣们大加封赏，让他们及子孙都可以终身衣食无忧。

这就是历史上著名的“杯酒释兵权”的典故，宋太祖通过温和而简单的手段，把国家的权力牢牢地掌握在了自己的手里，对于北宋初期国家局势的稳定，起到了重要的作用。

领导的工作就是一个行使权力的过程，那么如何控制好权力，使用好权力，就是领导的第一要务。

要想行使好权力，首先要清楚权力的来源。那么，领导者的权力是从哪里来的呢？首先是来自于职位的权力，这种权力是由上级和组织所赋予的，这种制度权不依任职者的变动而变动。比如可以施加扣发工资或奖金、批评、降职乃至开除等惩罚性措施的权力；

提供奖金、提薪、表扬、升职和其他任何令人愉悦的东西的权力，以及组织内各管理职位所固定的法定的、正式的权力。

制度权也就是我们通常所理解的领导权力，除了制度权以外，领导者还有其他的一些非强制性的权力，这种权力不是由领导者在组织中的职位产生的，而是由于领导者自身具有某些特殊条件所产生的。比如个人的品质、魅力、经历、背景等因素形成的相关权力，如果有某些专门知识、特殊技能或知识，一个人以其知识和经验使你不得不尊重他，你就会在一些问题上服从于他的判断和决定，这些都是领导权力的一部分。

我们在平常的认知当中，领导的非正式权力往往被当作个人魅力来看，虽然在说法上也无可厚非，但是在重视程度上却有着明显的欠缺。一个优秀的、成功的领导者正式的权力和非正式的权力都不可或缺。

在领导的工作当中，存在一个基本的矛盾：即领导的正式权力，尤其是在企业当中，是由上级所赋予的，这和下属的意志无直接关系；但领导工作的本质是被领导者的追随和服从，这不是由组织赋予的职位和权力所能完全决定的，而是取决于追随者的意愿。

这就导致了领导权力和工作的不一致性，而解决这种不一致性的“润滑剂”就是非正式的领导权力。

我们平常所谓的领导艺术，实际上就是领导者对于正式权力和非正式权力的使用艺术。

关于权力的使用，不同的领导有不同的方式，综合起来大致有三种，第一类是专制式，亦称专权式、独裁式。从字面上就可理解把握这种领导方式的本质：独自裁决，一个人说了算。这类领导者是由个人独自作决策，然后命令下属予以执行，并要求下属不容置疑地遵从其命令。第二类是民主式，这一类是领导协商、共同行使权力。在民主式领导风格下，领导者在采取行动方案或作决策之前会主动听取下级意见，或者吸收下级人员参与决策制定。第三类领导是放任型的，他们平常很少使用自己的权力，而给下级以高度的独立性，以致下级放任自流，行为根本不受约束。

领导对于权力的使用方式并无绝对的好坏优劣之分，一个真正优秀的领导并非只会使用一种权力方式，而是在不同的场合、针对不同的环境，让自己手中的权力达到最大效用。比如，企业领导在作长远决策的时候，往往采用第二种民主式的权力使用方式，这样可以最大限度地避免决策上的失误，让企业规划博采众长，达到最优化。但是在救火、救灾等急切、严峻的环境下，开会讨论，冗长费时的民主式权力使用方式就不适合需要了，这时候领导应该运用自己的权力当机立断，指挥属下去完成任务。

而对于大公司、大企业或者一个国家的重要领导，权力、职责下的业务众多，以一人之力怎么也无法全都顺利完成，这种情况就需要适当放权，对有能力又信得过的下属采用放任式的管理，让其自由发展业务。三国时期著名的军事家诸葛亮就是一个不懂得放权的领导，“事必躬亲”，结果虽然他的智谋举世无双，最后却活活累死在五丈原。在领导本身不了解情况又无法了解的情况下，放任式的领导也是一个不错的选择。比如古代的“将在外，军令有所不受”，意思是说，将领在边境打仗，要根据战场上的风云变化制定合适的策略，而不应该拘泥于中央皇帝的命令，因为皇帝往往远在千里之外，对战争的进展并不能在第一时间掌握清楚，如果将领处处听皇帝的调遣，那么就可能会贻误战机，被动挨打。同样，这种“将在外，军令有所不受”的放任权力方式在现代企业拓展业务的时候也可以适当采用。针对不同的环境，因地制宜、因势制宜地用不同的方法行使权力，是领导艺术的精髓，有人根据这一特点，提出了著名的领导权力使用的情景理论。

情景领导理论是一个得到广泛推崇的领导模型，这是一个重视下属的权变理论，常被用来作为主要的培训手段而应用。

情景理论的前提在于对下属的了解，我们称之为“成熟度”，它是影响领导方式有效性的权变因素。

成熟度包括两个方面，一方面是业务上的成熟度，即下属的工作能力。有的下属对业务不是很熟悉，需要有人时刻指导、监督其工作；有的下属则不然，他们有足够的知识，对业务也很熟练，完全可以放手让其独立完成工作。

另一方面是心理和情感上的成熟度，这一点主要表现在工作的积极性上。有些员工比较懒散，工作积极性不高，这时候就需要利用领导的权力去适当督促他们；而有些员工的工作积极性很高，根本无需督促就可以顺利完成工作。

与这两种成熟度相对应的，也有几种与我们上面介绍的相类似的领导模型。

对于高度成熟的下属，往往具有较高的自信心、能力和愿望来承担工作责任，这时，领导者可以采取授权式，可赋予下属自主决策和行动的权力，领导者只起监督的作用。

对于业务能力强，但是工作积极性较低的下属，可以采用参与式的领导方式，通过双向沟通和悉心倾听的方式与下属进行充分的信息交流，支持下属按自己的想法发挥其工作能力，而不给予过多的指示和约束。领导者的主要角色是提供便利条件与沟通。

对于工作能力积极性很高，但是工作能力稍微欠缺的下属，则适合采用说服式领导，应同时提供指导性的行为与支持性的行为。说服下属接受自己所决定的工作任务和工作方法，同时从心理上增强他们的工作意愿和热情。

两个人争论、吵架，如有第三者在场，双方都会请他帮忙，或是请他评理。第三者在对峙的双方眼里，既是仲裁者，又盼望成为共同对敌的友军。这种现象，古今相同。

春秋战国时期，韩、赵两国发生战争，双方都派使者到魏国借兵，但魏文侯一口拒绝了。两国使者没有完成任务，怏怏而归。当他们回国后，才知道魏文侯已分别派使者前来调停，劝告双方平息战火。韩、赵两国国君感激魏文侯化干戈为玉帛的情谊，都来向魏文侯致谢。韩、赵两国力量相仿，都不可能单独打败对方，因此都想借助强国魏国的力量。在这种情形下，魏国的行动直接关系到韩赵之战的胜负。魏文侯没有去介入两国之争，以第三者公平的立场加以调停，战争变成了和平，从而使魏国取得了三国关系中的主导地位。

由此可见，当双方相争时，第三者越是不介入，其地位越是重要，当他以置身事外的态度进行仲裁时，更能显示其权威性。

一个高层的管理者很多时候也需要一种置身事外的艺术。如果你手下的两个部门主任为了工作发生了争执，你已经明显感到其中一个是对的，而另一个错的，现在他们就在你的对面，要求你判定谁对谁错，你该怎么办？其实一个精明的领导者在这时候他不会直接说任何一个下属的不是。

因为他们是为了工作发生的争执，而影响他们作出判断的因素有很多，不管对错，他们都是非常出色的人才。当面说一个手下的不是，不但会极大地挫伤他的积极性，让他在竞争对手面前抬不起头，甚至很可能你会因此失去一个得力助手，而得到表扬的那个下属会更加趾高气扬，也不利于你的管理。

综合起来，领导者对于权力的使用，应该达到一种因地制宜、因事制宜、收放自如的境界。对权力的铁腕控制并不在于把权力完全死死地把在手里，而在于保持领导的威严性和权威性。

### ◆ 狼的自述

威严，绝对的威严，是管好团队的必需手段。一个没有威严、没有统治手腕的头狼，很快就会被取代。

# 怀柔——对同类犹如春风

绳锯木断，水滴石穿。

——罗大经

狼无疑是世界上最凶残的动物之一，狼群的头领在指挥战斗的时候无疑是十分冷血的，但是有的时候，头狼也会体现出怀柔的一面。比如在队伍撤退时，头狼一般都是殿后的，捕获了猎物，一些精细的部分经常会让给怀孕的母狼和牙齿已经磨平了的老狼。正是这样，头狼才会更加受到拥戴。

有这样一则寓言：

南风和北风是一对冤家，每次见面总是要争谁更厉害。这一天，它们又凑到了一起，南风说："我们老是争来争去也不是办法，这样吧！你看，那边有一个人过来了，我们谁能把他的衣服吹掉，谁就厉害。"

北风不服气地说："比就比，怕你啊！"于是，北风气势汹汹地冲过去，对着那个人就是一顿猛吹，刹那间寒风刺骨，行人的衣服被吹得猎猎作响，行人赶忙把衣服裹得紧紧的，任凭北风怎么吹，也不放手。最后北风吹累了，垂头丧气地停了下来。

南风微微一笑，走上前去徐徐吹动，顿时风和日丽，行人因为觉得春意盎然，始而解开纽扣，继而脱掉大衣，南风获得了胜利。

这则寓言告诉我们，要想做成一件事情光靠威严、权力和蛮力是不行的，有时候怀柔的手段比雷霆的架势更容易让人信服。领导在管理过程中不仅要保证自己的权威性，更要在管理的过程中体现人性化的一面。在管理中运用"南风"法则，就是要尊重和关心下属，以下属为本，多点人情味，使下属真正感觉到领导者给予的温暖，从而去掉包袱，激发工作的积极性。

随着现代企业的发展进步，以人为本的企业管理理念越来越深入人心。美国著名的管理学家德鲁克说："企业或事业唯一的真正资源是人。管理就是充分开发人力资源以做好工作。"

当今社会，企业管理已经开始从过去单纯地追求利润，转为越来越重视利润的创造者——员工的因素。实施以人为本的管理模式，在最近十几年已经取得了显著的成效，逐渐使人本管理成为企业界和学术界关注的热点。因为它符合时代的潮流，符合管理变革的趋势，符合企业管理的本质要求，随着经济的发展，以人为本的管理已经成为企业现代化管理的新趋势。

怀柔的、以人为本的管理模式要求领导者做好三方面的工作：依靠人、尊重人、激发人。所谓依靠人，就是说，承认员工在企业中的主导作用，一个领导，要想干出一番成就，唯一可以依靠的，就是手下的员工。

唐太宗李世民是我国历史上著名的明君，他经常能够听取臣子的正确意见，其中宰相魏征最喜欢向他提意见。

一天，李世民接到一个官员的奏折，说某地民众造反，抢了官府储存的粮食，李世民大发雷霆，马上要派人带兵去征讨。

这时候魏征站了出来说："民众这样做一定有原因，还是调查清楚再说吧。"

李世民说："都是一些刁民，杀了又何妨！"

魏征严肃地说："皇上，国家应该以民为本，没有了民众，你这个皇帝去命令谁啊？皇帝就好比是船，而民众好比是水，水能载舟，也能覆舟，皇上你可要三思啊。"

李世民认为魏征说的有道理，就取消了命令，派人去查找原因，结果是因为那里出现了灾荒，人民迫不得已才抢粮食吃的。李世民下令从各地调粮食去赈济灾民，最后问题圆满解决了。

事后，李世民把“水能载舟，亦能覆舟”八个字刻在了朝堂上，成为警示后世统治者的明鉴。

企业管理和治理国家是一个道理，在企业的所有资源中，最重要的不是钱，也不是机器和市场，而是人。现在是知识经济时代，以知识为主要资源的产品是高附加值的，对资源的占有并不是最重要的，重要的是对知识资源的创造性利用，而人恰恰是知识的主要载体，一个合格的领导者必须要依靠下属的力量才能把工作做好。

所谓尊重人，是指领导和下属之间应该是平等的关系，唯一不同的就是分工不同。“对每个人都保持不变的尊重”的行为准则应该是人本管理中最为基础和关键的准则。

因为尊重是行为规范中价值取向和道德标准的基石，也是进行管理所要恪守的准则。尊重每一个下属的人格，这是作为领导最基本的修养和对下属最基本的态度。善于听取下属的意见和建议；宽待下属，对下属的失礼、失误应用宽容的胸怀对待，尽力帮助下属改正错误；培养领导的人格魅力，如良好的形象、丰富的知识、优秀的口才、平易近人的作风等；尊重有才干的下属，对下属的长处应及时地给予肯定和赞扬，做到了这些，就会很容易得到下属的拥戴，当然，推行一些计划和工作的时候，也就会顺利很多。

所谓激发人，是指领导要学会挖掘下属的工作热情。人和机器不同，机器只要简单地进行几个命令就可以顺利运行。对于人的管理，不仅要命令，更要挖掘一些深层次的东西，企业内部蕴含着极大的能量，如何激发，如何挖掘，从而最大限度地调动员工的积极性和创造性，释放其蕴藏的能量，让员工以极大的热情和创造力投身于实现企业战略目标上来，这是重要任务。

所谓人性化管理是在充分认识人性的基础上，按照人性的原则去管理，利用和发扬人性中有利的东西为管理和发展服务；同时对于人性中不利的一面进行抑制，弱化其反面作用。采取“人性”的方式方法，尊重个性，而不是主观地以组织意志或管理者的意志来约束和限制员工，在实现共同目标的前提下，给员工更多的“个人空间”，而不仅仅是靠理性的约束和制约制度的规定来进行管理。

具体的工作当中，人性化管理的主要工作内容表现在以下几个方面。

首先，要把制度化管理和人性化管理结合起来，人性化管理更强调管理的艺术，而制度化管理更强调管理的科学性。这两者是相辅相成的，过度强调人性化管理而忽略制度化管理或者过度强调制度化管理而忽视人性化管理都是极端的错误做法。

人性化管理与制度化管理结合起来才是最有效的管理。人性化管理应当以合理的科学的制度为前提。制度化管理是企业管理中的“硬件”，而人性化管理是企业管理中的“软件”。“硬件”只是基础，而要运作更好，效率更高，则要有更好的“软件”。

而一些硬件上的东西往往大家都能做到，要想区分一个人领导能力的高低，主要还是看他在软件上的能力，所以管理者把握制度标尺的同时，要能保持弹性，将人性与制度和谐统一起来。

其次，要把大部分下属的共性与个别下属的个性结合起来。实施人性化管理，要有一定程度上共性的统一。比如，公司大的决策还是需要遵从少数服从多数的原则，如果每一个人的想法都要做到，那么这样的公司就制定不出任何可行的计划。而个性则是指尊重并认真考虑员工的合理化建议。管理者在为共同目标求得共性统一的同时，注意照顾到每个员工的个性。既不失“个体精神的自由冲动”，又能为共同目标“齐心协力”。

最后，倡导社团式的管理，生活化的工作。所谓社团式管理即将企业视为社团，而不是什么强制性的组织。大家因为有共同的信仰，共同的兴趣爱好走到一起。在这里，不重视级别的差异，更重视人性的满足。淡化管理意识，不以强制为主要手段。尊重个人的差异，个人的需求；人人平等，轻松自在；重视沟通，尊重个人情感，大家为共同的目标而自觉努力。

所谓“生活化”工作，是指视工作为生活的一部分，而不仅仅是谋生手段。生活中，我们可以放松，可以欢乐；同样，工作中我们也可以轻松愉快。工作中如果情感影响工作的话，往往是压抑情感，而生活中则相反，所以也应该可以根据情感的需要调整工作。

2005 年年初的一天，美国加州山景路的 Google 总部来了几位特殊的客人——美国著名女影星葛妮斯派特罗和英国酷玩乐团。他们对于 Google 充满了好奇，因为除了它的传奇色彩，还听说它是全球最“腐败”的 IT 公司，而这一切他们则要亲眼验证一番。

当他们走进办公大楼并通过有数百盏迷幻熔岩灯的门户玄关后，葛妮斯派特罗和 4 位乐手发现往来于办公室之间的 Google 员工不少都骑着 Segway 电动滑板车或者 Green Machine 车（一种适合 11 岁儿童的玩具车），有的 Google 的员工穿着短裤和汗衫在走廊上来回溜达。

“女士、先生们，请骑上你们的滑板车吧。” 佩奇和布林推来 5 辆 Segway 电动滑板车，示意让他们骑着电动滑板车参观 Google 的办公室。

葛妮斯派特罗惊奇地说：“这真是有趣的交通工具。”

骑着 Segway 电动滑板车，几位明星参观了 Google 的办公室，他们看到的办公室并不是刻板的办公场所，而更像是休闲场所，这里摆放着色彩多样的玩具和各种各样的游戏机。办公室里除了员工外，有的还带着自己的小孩，另外还有可以安置小狗的位子，而小狗就在那里玩耍。

明星们在布林和佩奇共用的办公室里看到这里挤满了玩具车、风筝、曲棍球球棍，当然，还有占据了主人用房门和锯木架凑成的书桌桌面上的电脑显示器，这两个创办人在这里梦想着更宏伟的计划。佩奇说：“最棒的搜索引擎是智能化的：它会通晓世上的一切。”

走廊的尽头是一个球状的红色门廊。在这儿有一个大型显示器，在它的四周摆满了各种各样的小玩意儿：飞机上的索环、戴着假发的日本小鸡、万圣节的蜘蛛等等，让人眼花缭乱。体积庞大的电脑屏幕被分成上下两个部分。上半部是一幅能显示黑夜与白天的世界地图，地图上遍布各大洲的是一个个闪烁着各种颜色的亮点，每一个亮点都代表着一种不同的语言和几千个要查询的问题；下半部显示用户通过 Google 查询的问题，一次只出现 10 个问题，不停地向上滚动，5 秒钟后就消失了。所显示的每一个查询问题前面有用户所在的地址，精确到城市。当你第一次研究用户所输入的这些要求时，它们可能显得杂乱无章，不可解释。但如果几个小时之后，在你的眼球被这些守夜者的亮点锁定时，图案就出现了。这些图案不仅仅是 Google 用户的分布图，还是现代技术的分布图，甚至是新经济繁荣的格局图。每分每秒，全世界有 42% 的搜索引擎用户会向山景路这幢大楼所管理的服务器展示自己内心深处的冲动和渴望。

酷玩乐团主唱克里斯·马丁透过楼道的落地窗看到户外一群 Google 员工正在玩轮滑曲棍球和沙滩排球。布林说：“在 Google，员工 20% 的时间是‘员工自由时间’，用于任何形式的户外活动。这个制度让 Google 在条件许可的范围内，最大限度地把工作变成一种兴趣。在 Google 工作的人，感觉不像是在一家公司上班，更像是在一个大学或研究机构做有趣的研究。而 Google 则可以从这些自由员工的大脑中，源源不断地提取新的创意和新的商业计划。”

5 位明星不论走到哪里，健身球与 M&M’s 巧克力都是随处可见。每走 20 步、每过个转角，就会看到食物。这里有 20 个零食间，24 小时供应各式各样的糖果、饼干，还有 Naked Juice 纯果汁。而这一切，都免费。他们看到办公楼里设有洗衣间；在健身房和游泳池里，有的员工正在接受免费的按摩，有的人在打乒乓球、游泳，而有的人在"冰淇淋吧"小憩。餐厅布置得温馨雅致，这里有硅谷最出名的五星级"免费吃到饱"餐厅。里面就有85位厨师和助理，提供85%都是有机食材做成的有机饮食，为数千名员工提供免费餐点，早中晚餐全包。明星们还见到了"主厨长"——前知名迷幻乐团 Grateful Dead 的大厨 Charlie Ayers。

在公司的诊所里，5位明星看到驻诊牙医与家庭医师在看诊。佩奇介绍说："请育婴假的员工可照领75%的薪水；婴儿出生后两周内，公司每天补贴50美元当做员工的坐月子津贴。"

参观即将结束，佩奇和布林问明星们对Google总部的印象如何，克里斯·马丁开心地说："这里就像是一个高级托儿所。"

葛妮斯派特罗赞叹道："Google对吸引知识型员工的确有一套。"

以人为本的人性化管理可以使管理更富人情味，更具个性化。借助金融文化建设实现对人的引导和激励。并以此使员工对企业产生心理上的归属感，从而更加积极主动地为企业做出更大的贡献，进而保持员工队伍稳定，人心思进，实现综合竞争力的不断增强，保持企业的健康、快速发展。

### ◆ 狼的自述

个体是群体的一部分，只有尊重个体，才能保障群体的利益。学会关心体贴下属，在必要的时候他们就会为你、为整个群体效死。

## 透明——获取信任的法宝

公平和透明的领袖是无敌的。

——周恩来

在狼的社会当中，一切关系都是简单而直接的，因为它们的目的非常明确——为了自身生存及种群发展；目标也非常明确——猎物，不断地获取猎物。这种简单的关系决定了在狼的管理体系当中一切都脉络清楚、简单透明；而人类社会的管理体系则不同，俗话说："人心隔肚皮。"利益关系或者其他原因，使领导者和员工之间往往存在一定的盲区。正是这种不透明的管理方法导致了很多员工对于领导层的猜疑。

如果说领导的过程是推动整个企业发展的车轮，那么透明、诚实的领导艺术就是车轮中间坚实的车轴。透明，是获得下属信任的最佳武器和唯一法宝；透明，是管理艺术当中最简单也是最难把握的一柄权杖。透明化领导，就是用自己的行为和决策使大家看到你诚实无欺。

老王因为工作能力强，业绩突出，被提拔为主管生产的副厂长。领导们都对他十分信任，认为他一定能在短时期内做出好成绩来。

但是没想到，过了两个月，不但厂里的业绩没有上去，反而有越来越多的员工闹情绪。厂长把老王叫了过来，问是不是工作上有什么困难。老王说："没有啊，我把一切都安排得好好的，我也不知道为什么，就是不能按照我的想法去实现。"

厂长仔细看了一下老王的工作计划，发现确实一切都十分科学和有条理，挑不出任何毛病。厂长也觉得很奇怪，就叫来几个员工，询问对新上任的副厂长的看法。

一位资深老员工说："这也不好说，新领导上任两个月了，只是命令我们做这个，做那个，至于具体的意图，我们也不是很清楚，所以也挑不出毛病。就是觉得这样工作，两眼发黑，没什么干头。"

一个青年员工说："副厂长挺好，一有什么事情，都说：放心干，任何事情有我。不过就是他想什么大家都不知道，有点高深莫测的感觉。”

厂长沉思了一下似乎明白了点什么，下班的时候，厂长给老王打了个电话说：“老王，我的车坏了，你送我一程吧！”下班以后，厂长坐上了老王的车。老王问：“厂长，你要去哪？”厂长说：“到了你就知道了，先往前开。”

一路上，厂长也不说去哪，就是说：“开车……对对，右拐……”最后，把老王弄发火了：“厂长你到底要去哪啊！这样开车很危险的！”

厂长笑了笑，说了个具体地址，老王开始放心往前开车了。厂长笑着说：“老王，这领导工作也和指挥开车一样，光你自己知道怎么干，目标是什么不行，还得让大家心里有数啊。”

老王听了若有所思。从此以后，老王有什么想法，都和员工说得很清楚，管理越来越透明，员工们也心里有数，又两个月过去了，果然效益出现了大幅度的增长。

一个透明管理的领导，除了在日常工作中能获得大家的信任以外，还有一种公信度的累积，如果你一向可靠，大家决不会质疑你告诉他们的事，大家会自然而然地认为你在任何情况下都会坦诚相告。然而这是个挑战，因为身为领导者通常会知道一些基层员工不知道的消息，在受到压力或是刺激时，可能必须推托或随意带过，这时就不利于建立关系。“诚实”则是牢不可破的指导原则，它成为领导艺术的枢纽。同时，必须以行动和决策使人明显看到此种诚意，否则信任与诚信绝对无法存在。

透明化管理不但表现在把你的意图正确传达给下属这一方面，同时也表现在你对下属意见的重视方面。询问他人意见，表明你对他尊重，并重视他的意见。当领导者针对自己的表现征询他人意见或反应时，常会把意图和事实混为一谈，这就是透明化制度之所以重要的原因。

由下属主管以不记名方式来评估你工作表现的评比方式，非常适合用来了解自己需要改变哪些坏习惯。通过了解别人对自己的看法，可以让自己有机会学习、成长，同时，询问他人意见也可以表达尊重，强化自己的信任度。

勇于询问大家意见，甚至积极改变的领导者，将因这种光明正大的做法赢得大家的尊重和信任。同时，领导可以激励大家采取同样的做法，推动集体发扬自我发展的精神。仅仅询问别人意见，就能产生极大的力量。

当然，透明化管理并不意味着把所有的事情都摆上台面。领导者在面对挑战时的操守表现，就像是测试个人信赖度的试金石。透明化管理并不需要领导者“全盘摊开”，只要管理者的行为能够预期，给人沉稳的印象，就能让追随者真正感到信任。

领导的信用主要不在于控制自己的情绪，更重要的是控制自己对情绪的反应。当领导者能用成熟的方式面对业务的波动时，其信任度就自然随之增长。反之，如果领导者“抓狂”，对每个人咆哮，大家就会猜测，老板下次会在何时情绪失控以及谁会成为那个“箭靶”。

信任度是透明化领导的关键要素之一，在工作中有时透露一些私人信息，也会对此有帮助。好的领导者能与下属建立品质良好的工作关系。

领导者要能与追随者建立起朋友式的联系，并且企业价值观里也强调创造有意义的事业环境。这时，领导者的信赖感才能真正得到强化。

如果追随者稍微了解领导者人性化的一面，包括他的观点、有过的教训、个人价值观，并且看到领导者言行一致，就更可能信任这位领导者。

重承诺也是透明化管理的重要一环。如果你一向言行一致，即使因为时空改变，必须重新考虑先前提出的承诺，大家也都能够较为容忍。

不论是在个人生活上，还是在工作上，要做到言出必行很不容易。在复杂的情况下，有时很难看清自己是否违背了承诺，有时我们顶多只能做到尽最大可能不违背承诺。通常，你在某件事上不遵守义务，会影响你承诺的信誉度。

追求诚信，不是比谁最受欢迎。说“不”所造成的伤害，远低于不信任所产生的伤害。向员工、投资者或同事传递坏消息时，对双方关系的影响是很微妙的。如果处理得宜，坏消息可以成为加强信赖度的好机会。重点在于，宣布坏消息的方式必须能增进彼此的信任，改进彼此的关系。

大部分人认为，承认自己工作上的失误会显得软弱无能。这种想法并不正确。其实，能妥善处理坏消息，可以增加你的信任度，并能明确表明你坚持诚实。这么做将证明，即便在困境中，你仍会坚持公开、透明的作风。

大部分人觉得，传达坏消息不是件容易的事。有些领导者选择保持沉默。无论用意好坏，这可能都不是负责任的做法。接收坏消息的一方，通常都比较希望传达者能以诚实、直接、审慎和关怀的态度及时宣布这些信息。

把处理错误当成增强信用的绝佳机会。事实上，直面问题的方法与态度，比一开始就把事情做好更重要。以明朗的态度处理错误，可以显示自己坚守诚实的态度，这比任何说辞都更有说服力。

有时候愿意认错并道歉反而可以取得主导的优势，关键就在于你是否真的愿意这么做。如果一个人可以真诚主动地说出自己的缺点，而不是被迫交代所犯的错误，大家会给予他更高的评价。当领导者谦虚、真诚地承认自己的错误时，信任度就会大幅提升。

公开承认错误、进行道歉需要很谨慎的态度和极佳的判断力，如此才能将可能产生的风险和后果降到最低程度。所谓后果，就是他人的忠诚、信任、信心的下降或客户、朋友或工作的丧失，这要根据过失的程度而定。

使用分裂或不当的语言，会损坏领导者的形象。要避免这种状况，一定要避免运用惩罚性的责备、批评，或一种“彼此对立”及贬低别人的态度。

当领导者在众人面前贬低或不断责备员工时，此举已足以让大家认定这名领导者不尊重他人，企业文化太尖酸，摩擦太多。相反，赢得众人高度信任的领导者，是通过坦率的沟通，展现对同事最大的尊重。

综合起来，透明化管理主要包括以下几个方面的内容：首先要有透明的工作方法。在工作的决策和实施中，严格按照现有规章制度和程序办事，坚持民主集中制和少数服从多数的原则，对于人事、财务、工程等下属关注的焦点问题做到透明化，自觉接受全体成员的监督，避免“暗箱操作”。

其次要有透明的工作作风。作为领导干部，要摆正自己的位置，言行一致、表里如一，凡事先从自己做起。要敢于公开自己的财产和经济状况，亲属、子女、配偶的职业、收入等情况也可以让下属知悉。一句话，要让下属相信自己，自己就要敞开心扉。

最后，也是最重要的一点，要有透明的思想境界。一个透明的领导者，非常重要的一点就是要敢于亮明自己的世界观和思想境界，自己是怎么想的，对待金钱、权力的观点和态度是什么，这些思想意识的东西都应该透明。把真实的思想展现出来，用透明的精神境界感召下属，这样才能产生巨大的工作向心力。

### ◆ 狼的自述

狼王是狼群的领袖，更是群体交流的纽带。一个和群体之间没有任何隔阂的狼王是永远不会失败的。

# 第9章

# 群狼无敌　团队制胜

人们在形容狼的时候，往往用“独狼”、“孤狼”等词语，实际上这是一种误解，狼是一种群居动物。虽然狼有尖锐的爪子和锋利的牙齿，但是与体型巨大的老虎、狮子等动物相比，体型偏小的狼在残酷的自然界中还是稍显脆弱，单个的狼甚至无法和野马等大型食草动物抗衡。为了生存下去，狼紧紧地团结在一起，它们团结合作的精神和技巧，即使是人类也难以望其项背。一只狼捕捉一只黄羊都很困难，但是几十只狼团结在一起却可以成功围猎数百乃至上千只的黄羊群。

## 狼群携手，天下无敌

万夫一力，天下无敌。

——刘基

在渺无人烟的草原上，狼群就是真正的王者。即使是百兽之王的老虎，看见了狼群也只有退避三舍。这是为什么？一方面当然和狼的勇敢凶猛分不开，最主要的是狼往往是群体活动。俗话说“双拳难敌四手”，狼的勇敢加上群体优势，使它们纵横草原，无人能挡。

作为凶猛食肉动物的狼尚且如此，其他一些弱小的动物要想生存下去，就更需要群体的力量了。

在非洲的热带雨林当中生活着一种蚂蚁，它们在遭遇危险的时候总是会忽然聚集在一起抱成一个大球。蚁后在球的正中间，根据数量的不同，蚁球的直径根据蚁群的数量由一尺到一米多不等。碰到山林火灾的时候，一个大球从火场迅速滚到安全地带，尽管球最外侧的蚂蚁被烧得"噼啪"作响，但是仍然紧紧抱住不放。

更神奇的是，这种"蚁球"可以自己渡过湍急的河流，有人就目睹了这一壮观的场面：一场暴雨过后，山洪爆发，一个直径一米多的蚁球从丛林中滚了出来，"一头"扎进汹涌的河里，外边无数的蚂蚁纷纷被淹死，但是整个蚁球却迅速地向前翻滚。等到达对岸的时候，蚁球只剩下大约一个足球那么大，但是整个蚂蚁部落还是完整地幸存了下来。

单个的蚂蚁是弱小的，我们拿一个手指头就能把它摁死，但是成千上万只蚂蚁团结起来，却可以吞噬一整头大象，可以从山火中逃脱，可以渡过湍急的河流。我们拿蚂蚁的智力和人类相比，其间的差距何止万千，但是蚂蚁懂得发挥群体的力量，它们建立的群体王国也要令人类刮目相看，这一点，我们人类应该向狼和蚂蚁学习。

一个人的力量是有限的，但是很多人组成的群体却可以移山填海，可以飞越太空，这并不是什么奇迹，而是团结的力量！

一位哲学家说过："人的价值，除了具有独立完成工作的能力外，更重要的是要具有与他人共同完成工作的能力。"

这种"共同完成工作的能力"就是群体力量的根源，也是推动人类发展的无尽宝藏。群体在公司中形成以后，会具有强大的优势。

在以前，经济还是主要以农业和手工业为主，人们大都是独立工作，工作的效率以及成果大都和个人的努力因素关系比较大。随着科学技术的发展和生产力的提高，公司、工厂、服务部门的规模越来越大，而且越来越错综复杂，这样他们的成功便取决于群体工作的效率。现代工作十分需要人与人之间、部门与部门之间的相互依存以及有关各方的密切合作。

性情古怪的道奇—扬基—麦茨垒球队的经理卡西·斯坦吉尔是垒球界的“怪才”，在他的带领下，球队取得了辉煌的成绩。在谈起指导垒球队员的经验时，他说：“想找到好球员很容易，但是不容易的是如何才能让他们在一起合作打球。”好的球员，说的是个体的优越性，一起合作，说的是群体团结的力量。任何需要组队进行的活动都需要依靠群体的力量。

NBA巨星迈克尔·乔丹是一个篮球天才，他带领芝加哥公牛队取得了很多次NBA连赛的总冠军。他技术之好，个人能力之强，被人称为“篮球上帝”，早在他上大学的时候，就有人宣称他可以一打五。但是，乔丹十分清楚集体的力量在篮球比赛中的重要性，他总是说：“一切的荣誉都是教练和我所有的队友的，如果没有他们，我将一无是处。”

每一个企业都是一个大的群体，在一个大群体内部还分成若干个小的群体，比如办公室、生产车间、技术小组等等，要想发挥这些小群体的力量，我们必须有带动这类群体的技巧与能力。

作为领导者，带动群体的常用做法有：

（1）关心群体成员当中的每一个人，很多企业都喜欢喊出“爱厂如家”等口号，但是要想每个人都对群体有一种归属感的前提条件就是让每个人都能感觉到群体的关怀与温暖。

（2）协助建立有效的管理统御流程，要想让一个集体当中的每一个人都可以为这个集体的唯一方向奋斗，必须要有一个纪律，一个行动纲领。

（3）树立集体成员的自尊心和荣誉感，培养集体成员的主人翁意识，自觉维护集体的利益。

（4）给予适当的奖励，虽然集体的利益高于一切，但是团体的目的是为所有人谋福利，所以对那些做出重大贡献的群体成员，进行适当的奖励，更容易激发大家的集体意识。

在很多情况下，群体都是一个很模糊的概念，因为概念上的模糊，导致群体观念淡薄，怎样才能强化这种群体观念呢？我们以城市里买房的居民为例。

我们每个人或者家庭在买房的时候都是一个个体，与物业公司或者开发商相比明显处于弱势。即使是一个小区的居民都搬迁进来了，还是一盘散沙，有什么问题也都是各自为政，往往容易吃亏。那么，怎样才能让这些业主成为一个群体呢？首先要有一个共同的目标，这个目标就是谋求业主的正常合法权益。

有了目标，一部分业主走在一起了，但是这还是一种自发的行为，只是一个群体的模型，为了进一步强化群体的力量，还需要有一个特殊而明确的名字。于是大家通过商议，一个小区的业主委员会成立了。再就需要确定以下成员的范围：当然就是小区内的所有业主。最后，还缺少一个领头人物，大家通过选举或者推举那些有威望、懂法律的人来为大家出谋划策。

这样，由原来分散的个体构成的一个坚强群体就产生了，原来很多个体无法完成和很难完成的事情，如物业纠纷、产权诉讼等就变得相对轻松。

如果你关心你的群体内的人员，他们也将关心你。如果你不关心你群体内的人员，他们也不会关心你。这里又涉及一个“第一线服务”法则，也就是说群体内首先要考虑到的利益是那些人数最多、贡献力量最大、起主导作用的。只有这样，才符合群体的整体利益，而不是单纯地考虑那些群体当中占少数的领导者。

如果把一个国家比作一个大的群体，那么群体的最大利益就是广大人民群众，现在我们所说的“人民公仆”、“人民利益高于一切”就是其具体表现。在企业里也是同样如此，整体利益是与大多数的员工利益联系在一起的，但是现在的很多管理者对于为第一线服务还是一个十分陌生观点。“力量倒置”的概念还只是少数人的信念。很多公司继续推行的政策方法仍然是第一线员工应首先为管理统御部门服务。

管理统御部门要求被服务的最有力的例子就是神圣的“操作规程”。绝大多数的操作规程都写明第一线员工必须做到使经理们的工作简易些。

这些操作规程中都写着报告、格式、指示、例外情况、利润、方针准则、目录表和法定程序等，这常常会磨耗掉第一线员工为顾客服务的精力。从而影响集体的整体行动能力。

某大公司有一张总清单，上面列述各部门必须填写的所有清单。在这种情况下，究竟是谁为谁服务呢？首先为管理统御者们服务的观点使专家们感到十分吃惊。管理统御者们在他们工作中常喜欢用部队做比喻。“这是一场战争”“我们的队伍必须振作起来”“我们一定要固守，取得这场的胜利”及“不能放弃基地”等都是很普通的口号。

所有公司都把自己看作是在作战，乐于用部队来比喻竞争剧烈，那他们首先要记住部队中一条绝对不可破坏的纪律，即部队指战员在战争高潮时必须服从“首先要满足士兵的需要”这一条。

但我们在商界中看到的情况恰恰相反。管理统御部门要求的行动常常要求士兵即使在战争高潮时也要首先为管理统御部门服务。内部伙伴关系在经理们要员工先为他们服务的情况下是不可建立的。

群体的力量是巨大的，但是为了尽可能地发挥出群体的力量，我们必须协调好群体成员的内部关系，以达到最优化。

## ◆ 狼的自述

一只狼只能捕获一只羊，一百只狼却可以屠杀成千上万只羊。

# 合作最具杀伤力

二人同心，其利断金；同心之言，其臭如兰。

——《周易》

干旱、寒冷等恶劣的环境，虎、豹等大型食肉动物的残酷竞争，食物的日益减少，人类的步步紧逼，在食肉动物当中体型并不占任何优势的狼为什么能成功地生存了上亿年？答案只有一个，那就是合作。长期的自然选择让狼认识到，要想生存下去，除了合作，它们别无选择。

人类也是如此，虽然人类社会中像狼一样的触目可见的赤裸裸的生存竞争并不明显，但是那些看不见硝烟的竞争却时刻存在，而且残酷程度丝毫不亚于动物界。一个团队存在的目的，就是展现其整体优势，这种优势通过什么途径才能更好地发挥出来？除了合作，别无他途。

微软公司总裁比尔·盖茨认为："在一家具有整体高智商的公司里工作的雇员，如果能够有效地合作，就会使公司的聪明人彼此发生可能的联系。即当这些高智商人才良好合作时，其能量将会冲出一条路：交叉合作的激励会产生新的思想能量——那些不太有经验的雇员也会因此被带动到一个更高的水平上，从而实现企业整体利益的最大化。"

因此，任何出色的人都明白一个最简单的道理：合则两利，分则两败。这就像一棵树，无论它怎样伟岸、粗壮和挺拔，也成不了一片森林；一块石头，无论它怎样大，也成不了一面墙。任何人要有所作为，就须得把自己融进团队之中，与大家共谋共筹、齐心协力，才能赢得发展。如果员工们在团结协作方面存在欠缺，那么，企业很可能会因此引起混乱甚至倾覆。

在现在的社会当中，个人英雄主义的时代已经一去不返了，因为靠个人单打独斗的方式已经无法赢得市场的决胜权了，只有通过团队的合作力量才能提升企业整体的竞争力，这也就是大家常说的“众人拾柴火焰高”。

二战以后，日本的经济遭受了沉重的打击，但是资源稀缺、国土有限的日本却在短短的十几年内，实现经济腾飞，迅速崛起而成为世界第二经济大国，其主要原因是得益于日本强调合作精神的企业文化。我们从下面的例子就可以看出冰山的一角。

井深大刚进索尼公司时，索尼还是一个只有20多人的小企业。但老板盛田昭夫却对他充满信心地说：“我知道你是一个优秀的电子技术专家，就像“好钢要用在刀刃上”一样，我要把你安排在最重要的岗位上——由你来全权负责新产品的研发，怎么样？希望你能发挥榜样的作用，充分地调动其他人。您这一步走好了，企业也就有希望了！”

“我？我还很不成熟，虽然我很愿意担此重任，但实在怕有负重托呀！”虽然井深大对自己的能力充满信心，但是他还是知道老板压给他的担子有多重——那绝对不是靠一个人的力量能应付得过来的。

“新的领域对每个人都是陌生的，关键在于你要和大家联起手来，这才是你的强势所在！众人的智慧合起来，还能有什么困难不能战胜呢？”盛田昭夫很自信地道。

井深大一下子豁然开朗：“对呀，我怎么光想自己？不是还有20多员工吗？为什么不虚心向他们求教，和他们一同奋斗呢？”

他找到市场部的同事一同探讨销路不畅的为题，他们告诉他：“磁带录音机之所以不好销，一是太笨重——一台大约45公斤；二是价钱太贵，每台售价16万日元，一般人很难接受，半年也卖不出一台。您能不能往轻便和低廉上考虑？” 井深大点头称是。

然后他又找到信息部的同事了解情况。信息部的人告诉他：“目前美国已采用晶体管生产技术，不但大大降低了成本，而且非常轻便。我们建议您在这方面下功夫。” “谢谢。我会朝着这方面努力的！”

在研制过程中，他又和生产第一线的工人团结合作，终于一同攻克了一道道难关，在 1954 年试制成功日本最早的晶体管收音机，并成功地推向市场。索尼公司由此开始了企业发展的新纪元！

井深大就好像一个足球队的队长，在企业中充分地发挥了灵魂的作用，调动了每一个员工的积极性，把团队的力量发挥到了极致，终于取得了伟大的成就。

日本企业文化的主要精神是团队合作精神与创新精神。其团队合作精神所凝聚的则是日本的民族的精神：在不利于民族生存、发展的外部自然环境中，日本人除了把个人融入团体，凭借团体的智慧与力量来赢得个人的生存发展，除了合作，他们别无选择。

也正是这种团结、协作、同甘共苦、休戚与共，甘愿为团队、民族、国家不计个人得失，勇于奉献和勇于牺牲，也就是以民族精神为主导的企业精神，使日本创造了世界经济史上的奇迹。1986 年，日本的国民生产总值达 19000 多亿美元，仅次于美国，位居世界第二位。到 1987 年时，依靠进口铁矿砂和废钢发展起来的日本钢铁工业生产的粗钢达 9850 万吨，仅次于当时的苏联，位居世界第二；汽车产量达 1200 万辆，如果说 1909 年至 1987 年“汽车王国”的称号属于美国，那么 1987 年后，此称号当之无愧地属于日本；日本的电器更是所向披靡，雄霸全球。

德国足球队在世界上是最优秀的足球队之一，被誉为“日尔曼战车”，然而令人惊异的是，在这样一支传统的优秀球队里，却极少有个人技术超群的个人球星。和意大利、英国、巴西等国家的球队相比，德国的球员都显得平凡而默默无闻，有些德国国家队的球员竟然还不是专业运动员！

然而，这并不影响“日尔曼战车”的威力，他们频频在世界级的比赛中问鼎冠军，把意大利、巴西、英国、荷兰等足球强队撞翻拉下马，谁也不敢轻视“日尔曼战车”的威力。原因在哪里呢？

一位世界著名的教练说：“在所有的队伍当中，德国队是出错最少的，或者说，他们从来不会因为个人而出差错。从单个的球员看，德国队是脆弱的，可是他们11个人就好像是由一只大脑控制的，在足球场上，不是11个人在踢足球，而是一个巨人在踢，对对手而言那是非常可怕的。”

全队拧成一根绳子，发挥团队的最大力量——这就是德国队的秘诀！

企业作为一个合作组织，它的健康运转有赖于所有员工的良好协作。尤其现在是社会化大生产时代，企业的规模越来越大，内部分工却越来越细。工作人员遍布世界各地，动辄上万、几十万的员工，且各地的员工都有各自独特的风俗习惯和不同的文化背景。如何保证这些员工的所有工作都是紧紧地围绕总公司的总体目标和意图行进，而不是自行其事，这就必须要求员工具有良好的团队意识，而不能我行我素、独来独往。举个简单的例子，我们熟知的“空中客车”——波音747飞机，是由几百万个零部件组装而成的，要想凭一个人的力量造出这么大的飞机显然是天方夜谭。实际上，一架波音747的生产成功，是十几个国家、几百家企业、数万人共同合作的结果。

所以，在任何一家著名企业中，我们都会发现，领导者最在意、最强调、最强化的就是团队合作精神，因为这是企业赖以生存和发展壮大的基础。否则，企业也将因员工的分崩离析而一无所获！

我们中国人在学习能力、钻研精神以及其他任何方面都不比别的国家差，但是唯独在合作精神上，却有一点欠缺。有人甚至嘲笑中国人是最擅长内斗的民族，有这样一则笑话：

在一家国际公司里，到了年底，美国老板想要给工人加薪，而且数额颇大——每人 500 美元，但是他规定每组只能加一人，具体加给谁，由各组民主讨论后决定。这家工厂的工人大都来自亚洲，故分为日本组、越南组、韩国组、中国组。通知下达后，秘书小姐要求各组下班前报上加薪名单，日本组最快，几分钟就定出了名单，送给老板一看，老板很满意，此人正是他意料中的人选——技术高、速度快；越南组报上来的是一个技术中等、工资最低的可怜人；韩国组也报上来了，是一个技术最差、人缘特好的和事佬，对此，老板摇摇头，却也无可奈何。

中国组呢？为何迟迟不报？快下班的时候，秘书小姐再三催促，结果却是：中国人不要加薪！老板听了大吃一惊！难道中国人真的发扬谦让的风格？难道正当的报酬都不要？老板不相信，亲自到中国组了解，终于真相大白：原来中国组的五个人已经讨论了半天，争得面红耳赤，互不相让。他们向老板提出："要么平均分配，每人加一百，要么大家都不加！"老板没有说什么，只是取消了中国组的加薪！

看了这则笑话，除了愤怒以外我们也需要进行一下反思，我们确实需要在合作精神上再下一点功夫。

一滴水，只有溶入大海，才永远不会枯竭，一个员工，只有充分地融入整个企业、整个市场的大环境当中，他的才能充分地发挥，才能创造最大的经济效益。

以科技分工为主导，以团队精神为灵魂的现代企业不需要独行侠，因为他们过于炫耀个体的力量，而忽略了整个团体，他们以为，凭借自己拥有的资本，完全可以力挽狂澜于既倒，扶大厦于将倾。可是他们却忘了，凭借一己之力想要包打天下者不是在螳臂当车，就是在痴人说梦，而只有团结协作，才是我们的不二选择。

◆ 狼的自述

双拳难敌四手，恶虎也敌不过群狼。

## 分享是最聪明的生存之道

倘若你有一个苹果，我也有一个苹果，而我们彼此交换苹果，那么，你和我仍然是各有一个苹果。但是，倘若你有一种思想，我也有一种思想，而我们彼此交流这些思想，那么，我们每人将各有两种思想。

——萧伯纳

在每次大的狩猎活动结束以后，狼群从来都不会把猎物完全吃光，哪怕是很多狼还没有填饱肚子。这些食物留下来以后干什么用呢？原来这群狼享受完“胜利果实”以后，马上传消息给附近的狼来分享。只有这样，在食物缺少的季节里草原上不同的狼群才可以一起渡过难关。

凝聚团队精神的重要因素除了要目标一致以外，另一个就是要学会分享。团队精神的要义就是大家在一起要能够同甘共苦。所谓同甘共苦，其深层意义就是团队成员之间要学会分享，分享快乐，也分享痛苦，因为我们是一个有共同利益的团体。

一个牧师去世以后，灵魂见到了上帝，上帝问他：“你还有什么没完成的愿望？”牧师说：“我没有什么要求了，以前我总是跟人们说天堂和地狱，但是我自己连天堂和地狱是什么样子都不知道，现在就请带我看看天堂和地狱的真正样子吧。”

于是上帝就把他带到一个房间，里面很多人围着一口锅坐着，锅里面放着很多美味的食物，正冒着诱人的香味。但是房间里的人一个个都骨瘦如柴，愁容满面，原来，每个人的手里都有一个柄特别长的勺子，盛起来的食物根本就没办法放进嘴里。上帝对牧师说：“这就是地狱。”

上帝又带着牧师到了另外一个房间，里面的景象和刚才的房间一模一样，手里也都拿着一把柄极长的勺子。不过所有人都红光满面，看起来十分健康快乐。一看见牧师来，大家纷纷和他打招呼。牧师十分奇怪，就问上帝：“为什么这个房间里的人看起来都那么健康快乐？”

上帝没有回答，而是示意那些人继续吃饭，原来，这些人在吃饭的时候都是把自己勺子里的东西喂到别人的嘴里。整个场面看起来十分融洽，牧师恍然大悟。

这则寓言生动地告诉我们，我们生活在集体当中，一定要学会分享和给予，养成互爱互助的行为习惯。在地狱里看到的那群吝啬鬼，他们宁愿自己饿死，也不愿去和对方分享食物，最后只能大家一起饿肚子。英国诗人白朗宁曾经说过：“把爱拿走，地球就变成一座坟墓了。”只要学会了去爱团队中的每一个人，去和他们分享你的一切，那么这个团队就是天堂！

分享，是一种成功的境界，是一种智慧的升华，是与人方便自己方便的领悟。分享爱，分享劳动，分享喜悦乃至分享痛苦，这都是一个团队所需要的。有些人在工作当中往往总是喜欢斤斤计较，干什么事情总害怕自己会吃亏，更生怕让别人得了便宜。这样的人就是没有领悟到分享的真谛，也不可能与整个团队拧成一根绳。

奥运冠军站在领奖台上发表感言的时候，说得最多的一句话就是：“我感谢我的教练，感谢我的家人，感谢我们的团体，感谢所有关心、支持我的人。”这就是一种荣誉的分享，这些简单的话让所有人感到如沐春风，试想一下，如果他在台上这样说：“我之所以取得今天的成绩和别人无关，完全是我个人努力的结果。”大家一定会对这个人的品行感到厌恶，他的团队也不可能一如既往地支持他。同样，一个懂得分享的企业老总总是会说，所有的一切是属于公司员工的；一个获得巨大成就的科学家会说，成绩是属于整个研究集体的。真正伟大的人从来都是懂得与别人分享的，正如牛顿所说:“我之所以有今天的成就,只不过是因为站在了巨人的肩膀上。”

一家大型家族企业下面有很多办公室，总裁年事已高，打算好好锻炼一下自己的儿子，他让儿子以一个普通员工的身份到各个工作室体验一下工作的真味。这个年轻人走了不少办公室，也学到了不少东西，他发现，绝大多数的办公室看起来都是忙忙火火、秩序井然的样子，大家似乎连笑的时间都没有。惟独市场部的一个办公室里总是洋溢着笑声，而且他们的业绩在全公司是最好的。他很奇怪，就决定在这家办公室多待一段时间。

经过一段时间的观察，他发现，秘密竟然出现在一个叫老王的小员工身上。老王这个人学历不高，薪水也不是很多，但最大的特点就是特别爱和别人分享一些自己的事情。比如他爱人生了女儿，他一大早就冲到公司对大家喊：“我当爸爸了！”每个月发了奖金，虽然他拿的比别人少,但是他总会买些零食回来:“来来来,发奖金了,我请客。”每次擦自己的办公桌的时候，他也总是帮那些不在的同事一起收拾干净。别人有什么困难，只要是他能帮得上的，二话不说，马上过去帮忙。在老王的带动下，整个办公室的人都十分开朗，大家的集体活动比较多，下班以后经常一起出去玩，而不是像其他部门各回各家。在这样的环境下，大家的工作效率自然就高了很多。

几个月以后，董事长问儿子："在这几个月里，你都学到了什么？"

年轻人回答："我学到了很多东西，但是最重要的一点，我学会了与人分享。"

人们总是幻想能够过上天堂一样的美好生活，正因为这些是不切实际的幻想，所以我们总是会觉得天堂离我们很遥远，而其实，天堂离我们并不遥远，只要我们懂得分享，快乐和幸福往往便可以"不请自来"。

分享的根本意义来自于我们自己的所作所为，来自于我们每个人的所作所为，来自于我们是不是可以摒弃那种宁愿自己饿死，也不愿为他人付出的"地狱般的行为"。

天堂里能看到什么？那位教士已经告诉了我们，他看到的是"施恩与人共分享"，是"献花者手中留余香"。

不懂得分享的人是可悲的，而无法与人分享的人则是痛苦的。

一位犹太教的长老，非常喜欢打高尔夫球。在某一个安息日，他觉得手痒，很想去挥杆，但是根据犹太教的规定，信徒在安息日必须休息，不能做任何事情。但是这位长老却终于忍不住，偷偷跑去高尔夫球场，心里想着只要打九个洞就好了。

由于在安息日犹太教徒们都不会出门，所以球场上一个人也没有，因此长老觉得不会有任何人知道他违反规定。然而，当长老在打第二洞时，却被一个天使发现了，天使生气地跑到上帝面前告状，说长老不守教义，居然在安息日跑出门去打高尔夫球。上帝听了，就跟天使说，一定会好好惩罚这个长老的。

从第三个洞开始，长老打出超级完美的好成绩，几乎全都是一杆进洞。长老兴奋不已，到长老打第七个洞时，天使又跑去找上帝："上帝呀，你不是要惩罚那个长老吗？为什么到现在还不惩罚他？"上帝说："我已经在惩罚他了。"

一直到打完第九个洞，长老都是一杆进洞。因为打得太完美了，于是长老决定继续再打九个洞。天使忍不住又去找上帝了："到底惩罚在哪里？"

上帝只是笑而不答。等打完十八洞，长老的成绩比任何一位世界级的高尔夫球手都要优秀，把长老乐坏了。天使很生气地质问上帝："这就是您对长老的惩罚吗？"

上帝说："正是如此，你仔细想想，他有这么惊人的成绩，以及兴奋的心情，却不能跟任何人说，这不是最好的惩罚吗？"

生活需要伴侣，快乐和痛苦都要有人分享。没有人分享的人生，无论面对的是快乐还是痛苦，都是一种惩罚。

我们在痛苦或者悲伤的时候，总是会想要找人倾诉。但是我们在快乐、开心的时候，却往往忘记了那些默默支持我们的人。把你的痛苦与人分享，痛苦就会减少一半，把你的快乐与人分享，快乐就会增加一倍。

把自己的成就和快乐主动拿给别人分享，这需要一定的勇气，体现的是仁爱和宽容；而积极地分享别人的思想和痛苦，则意味着尊重，体现的是民主和合作。

学会分享可以使我们学会更好地关心他人，也可以更好地关心自己；欣赏他人，也欣赏自己；可以有效地进行团结协作，进行交际磨合；随时注意权衡自己在群体中的地位和作用，处理好人际关系；及时地把自己的想法以适当的方式表达出来，走出封闭的自我，积极接纳、采用别人的先进想法，能够与他人进行心灵和技术上的沟通。

如果问你：世界上什么东西越分越少？我们肯定会找出很多种答案：一个苹果，一笔金钱，一块土地，一瓶水……其实这个答案有许多许多，回答起来也很简单。

那么如果问你：什么东西越分越多？相信很多人回答不上来。其实，答案也不难，那就是快乐。在生活中，总有一些人，期待着一种分享。他们会在你需要的时候和你肩并肩。他们就是你生命中最亲近的人。我们有许多值得分享的东西：金榜题名的喜悦，事业有成的安慰，婴儿诞生的快乐，一生相伴的温馨……分享快乐本就是一件快乐无比的事。

当夜深人静的时候，一盏烛光，两杯素茶，你和朋友敞开心扉，或侃侃而谈，或静静倾听。成功也好，失败也罢，相互分享，就等于在看一幅世界上最美的风景。只要学会分享，你就会快乐。因为在分享的同时，你也在学着给予，也在汲取着给予带来的快乐。

### ◆ 狼的自述

追求使人充实，分享让人快乐。

## 交流叩开成功之门

交流是人类存在的最好证明和唯一方式。

——托尔斯泰

每一个狼群都是一个高效率的团队，一个团队要想成功运作，团队之间的交流必不可少，那么狼是怎样进行交流的呢？动物学家研究发现，狼与狼之间的交流方式很多，主要是通过“语言”也就是声音来交流，另外，气味、肢体动作等等都是狼与狼之间的有效交流方式。

我们在生活中的团队也是一样，要想朝着共同的方面前进，最重要的一点是大家的思想要统一，行动要一致，这样，团队间的交流就成了整个团队的神经系统，交流的顺畅与否直接关系到团队的正常运作。

在团队工作的过程中，如何强调沟通都是不过分的。而事实上，绝大多数意外的出现，我们基本上都可以通过团队沟通找到一些问题的根源。我们很多人在工作当中，都有这样的感觉，我们之间的工作衔接得不那么严丝合缝，似乎总是有一些灰色地带的存在，而正是这些模糊的地方，导致我们工作出现一些“不和谐音”。一开始可能只是一点点，但是这一点将在工作中不断出现；而且随着团队的扩大和业务的发展，这一点将变得越来越多。所以需要我们来加强沟通，依靠沟通能力来弥补一些问题。

影响团队沟通的因素很多，人数的增加，工作地点的分离，国际企业中的语言交流困难，不同的生活习惯和价值观等等都会给团队的沟通带来困难。

人数的增加，使得相互之间的沟通线路越来越多，团队里人与人之间是一个立体的模式，所以人数的增加造成的沟通困难是以立方递增的。即使信息的增加，也不见得就一定能够导向成功，你将不得不判断各种不同的信息，从而使得成本越来越高。这一点在现实生活当中的最明显例子就是精兵简政，尽量使用高素质人才来替代大量无经验的人员。

工作地点的分离，也将导致沟通难度的急剧上升。试想有这样一个团队：需求部门在北京，设计部门在上海，开发部门在武汉，测试市场部门在大连，他们之间的交流困难是显而易见的。所以，现代企业当中更多的是倾向于面对面的交流，哪怕是高新科技如网络、视频电话的普及，很多公司仍旧愿意采用面对面的交流方式。

一家电脑公司为了更好地促进员工间的交流，同时为了防止随意聊天等浪费时间的情况存在，在公司每一个员工的电脑上安装了MSN和视频电话。这样即使是对面桌子旁的同事进行业务交流的时候也不用谈话了。办公室果然比以前安静了许多。一开始大家还觉得挺新鲜，可是时间一长，大家反而觉得交流比以前更困难、更少了。

为什么会出现这种情况呢？我们试想一下，以前我们在家里和母亲之间的交流很融洽，很开心。可是出来工作以后，哪怕家里有电脑上网，有视频电话，但是我们每天聊多少句？我们和母亲之间的了解是更多了还是更少了？和母亲之间的沟通尚且如此，那么和一个项目组团队，甚至是你没有见过面的项目组成员，你们的沟通又能如何？

人和人之间的沟通和交流，没有比直接的面对面更加有效的了，我们可以听见对方的话音，看见对方的每一个眼神，更重要的是，我们能够相互之间触手可及，这是一种鲜活的沟通手段，任何其他手段都比不上它。所以，除非万不得已，不要把团队分成那么多地点。

很多国际型企业喜欢把一些不同国籍的人放在一个团队里进行工作，以显示自己的“兼容并蓄”，但是这样做有实际的效果吗？结果往往是事与愿违。原因就出在交流困难上，如果缺少这个语境平台，不能理解对方所说的话，这还是小事，但是语言不通会使得员工觉得自己像个外人一样，不能融入整个团队中。

沟通存在障碍的团队就好像一个人的身体不听大脑的指挥，你明明想这样做，但是你的手脚却不明白你的意思，往往朝着另外一个方向做。存在沟通障碍的团队，经常性的表现就是，某一个人忙死，而团队中的其他人却找不到什么事情可以做。或者是大家都忙死，到最后却发现还是有很多工作没做完，而很多工作则是做了重复的无用功。沟通障碍之害，可见一斑。

沟通与交流，用简单的话来解释，就是“听”和“说”。说出你自己想说的意思，听别人想说的想法。这两点在沟通当中都非常重要，像人的两条腿，缺一不可。比如说，在上课的时候，一个聪明的老师，绝对不会一味地说教，如果只是单调地说教，即使是语言组织得再精彩，学生听的时间长了，也会昏昏欲睡，不胜其烦。聪明的老师一般在每节课都会给学生几分钟“说”的机会，让学生把心中的疑问和想法说出来，达到与学生更好交流的目的。

当然，这交流中的“听”和“说”也是有一定技巧的。“听”，不仅仅是单纯地接受别人的意思，而应该听出别人说话的真正意图，领会出深层的意思来。我们在听别人说话的时候往往容易犯几方面的错误。第一是断章取义，即使是头脑再清醒，做人再公正的人也有一定的喜好和厌恶之情，在听的过程当中就很容易把自己的这种感情加入进去，这样就很容易曲解对方的话，有意无意地把其中某一段话理解成为全部的意思。

“听”的关键在于权衡，而不是挑刺，如果是刻意地无中生有、挑刺找毛病的话，相信即使是文学大师也无法和你正常交流。比如，对方在工作中赞成目标驱动的考核制度，于是你就说他：目标一切啦，只重视目标不重视过程啦，风险大啦等等；再换过来，如果对方赞成过程考核的方式，于是别人开始说他目标不明晰啦，管理者容易做老好人啦，容易导致面子工程啦等等。这样的“听”，对交流是毫无益处的。“听”的诀窍在于权衡，要从整体上考虑别人的想法，既不能断章取义，把别人批评得一无是处，也不能全盘接受，完全没有自己的观点。

在听别人说话的时候，首先，请凝聚起来你的眼神使得对方认为你在认真听他说话。另外，把腰挺起来，千万别蜷缩在椅子里，看上去比较不健康，而且懒散。

其次，眼神要看着对方，如果对方是女性，一般目标关注的范围大一些（不要盯着别人的眼睛看，会给人很大的心理压力的），如果是男性，但是他的目光老是躲开你的目光，可能他是一个相对比较软弱的人，不要老是盯着对方看，适度多看看别的地方。我们看着对方，只是希望让对方知道，我们很认真地在听他说话，不是给人太大的压力。另外，如果某个人身上有某个缺陷（比如眼睛斜视等等），请务必不要盯着看（虽然也许你很好奇），这会使得别人更加不自然的。

再次，适度记一些笔记。如果是一个人和对方沟通，记录下来一些重点，以及让对方感觉你很重视他，效果就会很好。你做做样子也好，真的记录也好，但是在谈话中，带一个笔记本，总是不会错的。

和“听”一样，“说”也需要一定的技巧，首先要思路清晰，不要一会儿说到东，一会儿又说到西，到最后别人根本就不知道你到底要说什么。其次，在说话之前要把说话内容的逻辑性整理清楚，你举出的实例要能够证明你的论点，不要说得云山雾罩的，让人困惑。最简单的逻辑整理方式是，提出你的观点以后，用 1、2、3、4 逐条列出你的论据，这样大家比较容易沟通。再次，如果不是十分必要，尽可能少用一些攻击性很强的话。攻击性很强的话，基本上不能起到加强你观点的作用。这种方式只会让对方变得更加难以说服。最后，说话要符合实际，俗话说的好，“事实胜于雄辩”，纵然你说得天花乱坠，但是和实际情况不着边的话，还是不管用的。

此外，说与听不同的是，还需要根据交谈对象的不同，对自己的语言进行适当的调整。明白你所对话的人，是一种什么样的人。然后再考虑如何说，对象是不懂技术的人，与精通技术的人，说话的方式是完全不一样的。关键一点，就是说对方能够明白的话。你沟通不是用来卖弄的，目的是要让对方明白你的意思。

再有，不要仅仅考虑你自己，还要考虑对方，是否明白你说话的意思。也就是说，你要从对方的思路上着手，而不是从你的思路上着手。

蜡不点不亮，话不说不透。任何人有了矛盾都不要紧，只要你手中握有沟通这把金钥匙，再难打开的锁也不能锁住你寻求和谐、合作的脚步。

### ◆ 狼的自述

在团队行动的过程中，无论怎样强调沟通都是不过分的。只有互相交流，才能亲密无间。

## 把生的机会留给别的狼

人没有牺牲就什么都得不到。为了得到什么东西，就必须付出同等的代价。

——爱德华

狼群在围猎一些大型动物比如野马群或者单个的熊等的时候，场面往往十分惨烈，为了保证最后的胜利，有些狼甚至被撕破了肚皮仍然奋勇战斗，直到咽下最后一口气还咬着对手不放。有时，两只狼为了对付老虎和狮子的进攻，往往是其中的一只浴血奋战，以一当十，以最大的精力牵制敌人的攻击力量，从而保证另一只能够脱离危险，把群体的生存机会留了下来。正是狼的这种为了整体而放弃个人私利的牺牲精神，才保证了狼群用最小的损失来获得最大的利益。

团队，之所以拥有比个人累加起来更大的力量，就是在于它的整体性。虽然团队的整体利益代表着整个团队所有成员的共同利益，但是在某些细节问题上，有时候难免会出现整体利益与个人利益相违背的地方。这时候，一个优秀的团队成员应该立场坚定地认为整体利益高于一切，牺牲或者舍弃个人暂时利益来争取和维护整体利益。

牺牲精神是团队精神的精髓，是一切优秀品质当中的最高美德，大到一个国家，一个民族；小到一个企业，一个办公室，如果没有了这种牺牲精神，从短期来看，损害的是团队的整体利益，个人利益可能会暂时得以保全。但是从长远看，这却是一种饮鸩止渴的办法，因为团队的利益代表的是个人的根本利益，一旦失去了团队，也就无从谈起个人利益了。

人的成长需要两种环境，一种是自然环境，一种是社会环境。社会环境的基本因素就是人，也就是说，每一个人的成长都离不开集体的帮助。

一个人是怎么成长的？没有集体，没有国家，你能成长起来吗？作为团队一员的你，你的成长本来就是团队利益的一种体现。

一个人追求个人利益，追求更好的生活、工作条件，这无可厚非，但是这一切应该建立在不损害团队利益的情况下。个人利益也是非常重要的，个人的特长是要充分发挥的，个人的个性应得到尊重和保护；而团队利益则是合理的个人利益的集中和升华，属于一个更高的层次。

元末明初，江南有个叫沈万三的商人，通过数年经营，积累起了不少财富，在当时的苏州小有名气。后来农民革命战争如火如荼，朱元璋领导的农民起义队伍占领了苏州，虽然商人们长期饱受元朝贪官污吏的盘剥、压迫，但是当朱元璋发令向苏州的商户们征集粮饷的时候，大多数人都极力把自己的粮食和财富隐藏起来，生怕自己的利益受到了损害。

但是沈万三却看出自己的利益是和农民起义军的利益结合在一起的，只要能推翻元朝的残酷统治，对自己的商业发展大有好处。于是他从经济上大力帮助朱元璋的起义军，而不要任何回报。

后来，朱元璋领导的起义终于推翻了元朝的统治，建立了明朝，朱元璋也当了皇帝。朱元璋并没有忘记在困难的时候沈万三对他和起义军的帮助，在很多政策上都十分倾向沈万三。没过两年，沈万三就成了当时中国第一大富豪。

一开始，从表面上看沈万三确实失去了一部分个人利益，但是他是为了集体的利益——一个良好的商业环境，而牺牲自己的个人利益的。后来集体利益确保了，当然集体也没有忘记他这个为集体做出贡献的人，他也获得了比原来的付出多很多的回报。

大局意识是牺牲精神的前提。一个生活在团队、集体当中的人要有大局意识，强化大局意识对于我们每一个人的成长，都是一个至关重要的问题。不管是在学校里还是在企业中，我们都应该有“大局”这么一个概念。

无论是在农村还是在城市，不论是在一个家庭，还是在街坊四邻中，凡是威信最高的那个人，都是大局意识非常强、能够顾全大局的，公道正派，为了大家，能够牺牲自己的小利益。我们在企业中也存在这种现象。一个人的威信高不高，很大的一个方面就取决于这个人的大局意识强不强，是不是顾全大局，是不是老是为自己考虑。大局意识强，是说他首先考虑的是大伙的利益，而不是考虑的个人利益。一个人有威信、有水平、思想觉悟高，首先体现的就是大局观念强。

当然，我们也不能走极端，纯粹地牺牲个人利益，完全服从集体利益，个人什么都不要，也是不对的。正确的认识是，个人利益并不是不重要，没有个人利益就没有整体利益，没有局部利益就没有全局利益。所以说，每一个集体也好，每一个整体也好，都是建立在个体和局部利益之上的。这个道理是很简单的。我们每一个人的利益，就是我们整个团队的利益。我们追求个人利益，这是一种正当的权利，没有必要羞羞答答，每个人都应该追求自己合法、合理的权利。

但是，我们要摆正个人和集体之间的关系，特别是在个人利益和集体利益发生冲突的情况下，我们必须认真地思考。大部分情况下，个人利益和集体利益是一致的，但是在出现矛盾的情况下，我们要有牺牲精神，个人利益必须服从集体利益。

自我牺牲精神是处理公私关系、处理个人与团队关系的最高道德要求和道德境界，它要求人们当个人利益和集体利益、社会利益发生冲突的时候，要无条件地使个人利益服从社会整体利益。这种牺牲精神在战争年代表现得尤为突出，邱少云为了不暴露部队的潜伏地点，被烈火活活烧死；黄继光为了避免更多的战友伤亡，舍身堵枪眼……无数的革命前辈为了祖国的解放事业牺牲了自己宝贵的生命。

在现代，这种表现激烈的牺牲手段已经没有必要大量出现了，但是这种舍弃小我成就大我的牺牲精神却是在任何时候都需要的。

歌德在诗剧《浮士德》中说：

凡是赋予整个人类的一切，
我都要在内心中体味参详，
我的精神抓住至高至深的东西不放，
将全人类的苦乐堆积在我心上，
于是小我便扩展成全人类的大我。

我们在生活中，在工作上，也会遇到自我、小我与大我的问题，我们必须处理好彼此的关系。我们既要尊重自我、小我，又要维护大我；在必要时甚至必须为大我而牺牲自我、小我。因为，当幸福仅仅属于个人的时候，只不过像挂在项上的金锁链，是渺小而微不足道的。只有当它属于团体、属于更多人的时候，才是伟大的、有意义的。

这种为集体的大我而做的牺牲，在那些抱有个人主义人生观和幸福观的庸人眼里，是无论如何也不可理解的。他们往往把这些事看成是天外飞来的横祸，认为如果谁不临难逃避，屈辱苟且，那谁就是自讨苦吃。他们把个人牺牲而为团队创造大福的人，一律看成傻子。

这些人只看到眼前的个人利益，而无视大我、团队的整体利益，只贪图渺小的、狭隘的幸福而不理解伟大的、普遍的幸福。这样的人是可悲的，而且他们也终将被团队、被集体所抛弃。

只有在集体、在团队当中，个人才能获得全面发展其才能的机会，也就是说，只有在集体中才能有个人自由。人是处于社会之中的人，是社会关系的总和，都生活在集体之中。在社会主义社会，个人幸福与社会幸福的内涵基本趋于一致。人们只有在实现集体幸福的过程中才能实现个人幸福。

个人幸福必须包含在集体幸福之中，离开了集体幸福，个人幸福就不能得到可靠的保证。只有依靠集体，个人才能得到幸福。根深方能叶茂，水涨才能船高，团队的利益得到保障了，才能从根本上保证个人的更大幸福。担心为集体、为他人而自己得不到“补偿”的人，实际上是对我们社会主义制度下的“一个人为全体、全体为一人”的新型社会关系缺乏应有的认识。其实，当一个人真正树立了集体主义幸福观的时候，看来似乎是个人付出了必要的艰苦和牺牲，但因为它换得的是集体的幸福，这种艰苦和牺牲便能完全消失在幸福的海洋之中，由衷地产生幸福感。

当然，在实现团队利益的过程中，需要个人的奋斗，在必要时就得吃苦乃至做出牺牲。因此就必须舍得为团队贡献自己的热汗和鲜血，必须有林则徐“苟利国家生死以，岂因祸福避趋之”的精神。

### ◆ 狼的自述

没有失去就没有获得。所以，在需要我们付出的时候，我们从不犹豫。

# 第 10 章
# 铁的纪律　成功基础

世界上最有纪律的动物是什么？是蚂蚁？不是。是人类？也不是。世界上最有纪律的动物是狼。狼是天生的士兵，是草原上不败的铁骑。

## 标准狼道自成圆

法律是一条绳索，它只约束那些不懂法的人。

——但丁

狼群在捕猎结束以后，经常会围着猎物狂奔，最后践踏形成一个标准的圆形跑道，人们称之为狼道。生物学家对狼这种做法还无法作出科学的解释。但是狼道却深深震撼着每一个曾经见过它的心灵，没有规矩，不成方圆，狼群有自己生存的法则。

在快节奏的生活习惯下，有人往往会有这样的想法：我们生活得这么累，干吗还要处处约束强迫自己呢？上班时间又到了，该死的规章制度，该死的公司纪律，如果没有这些该是多么惬意！

我们从小就被灌输纪律的重要性，学校要有纪律，军队要有纪律，单位要有纪律，这仿佛是天经地义的事，没有规矩，不成方圆嘛。要不，不全乱套了？但是这些往往只是学习到的，可是，不知道你想过没有，如果我们平常的生活没有了纪律会变成什么样子？

早晨起来的时候闹钟响了，本来计划要跑步的，可今天实在不想起床，对自己说，就再睡一会儿吧；晚上下班回来吃完饭，本想看会儿书学点新东西，或者复习复习英语，可无意间看了一眼电视，竟然被精彩的剧情吸引了，结果这个连续剧有足足50集，要播放一个多月，你的学习计划早被女主角的眼泪给冲跑了；到了周末，逛商场时本想着只是“只看不买”，没想到厂家又在搞促销，很早以前就喜欢的一身衣服居然打5折，不买太对不起自己了，这样这个月的理财计划又告吹了；礼拜天原本想着带孩子去科技馆，可朋友打电话来说麻将“三缺一”，救场如救火，再说好久没玩牌了，手真痒，去吧。

我们的生活中充满了数也数不清的随意性，更要命的是，我们只能靠自己，没有任何人会替你自己去管理你的生命。在学校读书的时候有老师管着，让你按时交作业；上班有领导管着，会检查你的考勤与工作进展。而自己的日常生活与生命的重大安排呢？从决策到执行到监督落实，全靠我们自己。

给自己定出计划以及纪律，并且严格要求自己按计划和纪律去执行，这样做看似委屈了自己，放弃了生活中的很多乐趣，不能够随意而潇洒地生活；但是等到习惯了纪律的约束，完成了计划取得了丰硕的成果以后，大家就明白：眼前的这种严格自律，正是我们养成良好习惯、克服种种惰性，从而享受高质量生活的前提。

不要随意放纵自己，更不要轻易地向各种诱惑低头，坚持自己的既定方向与计划，管理好自己的人生。否则的话，你就很可能会随波逐流，贪图眼前的一点点安逸享受，而损失掉生命中真正的财富。

纪律，是生活的保证，是敬业的基础。没有规矩不成方圆，没有纪律散沙一盘，一个团结协作、富有战斗力和进取心的团队，必定是一个有纪律的团队。同样，一个积极主动的优秀员工，也必定是一个纪律观念强烈的人。纪律，永远是忠诚、敬业、创造力和团队精神的基础。对军人而言，没有纪律就等于没有生命；对企业而言，没有纪律同样会失去一切。

对于一个企业或者其他组织而言，纪律和规章制度一样，都是约束个人行为的规范。但是对管理者而言则有着更深一层的意义，纪律是管理者个人本身的管理品格。组织的运作需要有明确的规章制度作为团队行事的规范，但是要让规章制度发挥效用，就需要有管理者以身作则，落实纪律的精神，一位没有纪律的管理者是无法有效地领导团队的。

卡莉·菲奥丽娜女士在接任美国惠普科技公司总裁时，特别强调：新一代的领导方式不再是掌握信息，信息只是一种每个人都可以享用的工具。因此，惠普倡导一种新的领导方式，这就是制定一个框架让员工自由发挥。当员工愿意主动承担企业所面对的问题时，就能引发他内心的热情与动力，激发其创新与思考，使得企业与员工都受惠。但不可以逾越企业整体发展的全局框架，这种框架既代表着员工个人的发展空间，也代表着企业组织的纪律要求。

在组织中恪守纪律是管理者赖以执行职务的要素，它代表着对工作的态度，对角色职务的尊重以及对组织的承诺。我们知道管理工作本身是极为复杂的过程，面对不同且快速变化的人与事，若是不能维持纪律的精神就容易迷失方向，影响团队目标的达成。许多管理者之所以会身陷经营困境，其主要原因即是个人及团队皆失去纪律的精神，处理事务无法持之以恒。

纪律是组织中促使创新变革发挥效益的关键。组织要保有持续成长的源动力，就必须持续进行创新与改善，要想在企业经营中持续改善，则纪律是不可或缺的。在改善中必然会遭遇到许多困难，这时需要的绝对不只是能力而已；要能随变化而快速地采取行动，这依靠的就是个人以及团队的纪律，惟有纪律才不会失去方向，才可以有效地成功应变。

对管理者而言，纪律除了有他律的部分外，更重要的部分是自律。纪律从某种意义上讲就是实践自己的价值观，它是个人智慧、技能与修养的具体表现。纪律的目的不是限制他人而是自我的要求，纪律的表现不只影响自己的角色定位，也牵动着与团队成员的关系。同时，纪律的扩散性及影响力，能由管理者个人扩散至团队全体，达到上行下效的效果。

企业管理者总是习惯在事后反思："纪律意识淡薄是一些人犯错误的重要原因。"而不善于在日常管理中让员工普遍认识纪律的深刻含义。

要强调的是，纪律不仅可以避免犯错，也是成功的基础，要成为优秀的管理者绝对不要轻视纪律的力量。一个团结协作、富有战斗力和进取心的团队，必定是一个有纪律的团队。同样，一个积极主动、忠诚敬业的员工，也必定是一个具有强烈纪律观念的员工。可以说，纪律，永远是忠诚、敬业、创造力和团队精神的基础。对企业而言，没有纪律，便没有了一切。

西点军校非常注重对学员进行纪律锻炼。为保障纪律锻炼的实施，西点有一整套详细的规章制度和惩罚措施。比如，如果学员违反军容军纪，校方通常惩罚他们身着军装，肩扛步枪，在校园内的一个院子内正步绕圈走，少则几个小时，多则几十个小时。

据说，艾森豪威尔到西点不久，就因为他的自由散漫而赢得了"操场上的小鸡"的头衔。原因是艾森豪威尔经常不得不接受惩罚，像小鸡在田间来回走动一样在操场上来回走步，只是不如小鸡那样自由罢了。

这样的训练整整持续一年，纪律观念由此深深地根植于每个人的大脑中。同时，与之而来的，却是每个人强烈的自尊心、自信心和责任感，这是一些让人受益终身的精神和品质。

当一个企业的员工都具有强烈的纪律意识，在不允许妥协的地方绝不妥协，在不需要借口时绝不找任何借口，比如质量问题，比如对工作的态度等，你会猛然发现，工作因此会有一个崭新的局面。

对企业和员工而言，敬业、服从、协作等精神永远都比任何东西重要。但我们相信，这些品质不是员工与生俱来的，不会有谁是天生不找任何借口的好员工。所以，给他们进行培训和灌输显得尤为重要，就像西点不断要求士兵们的着装和仪表一样，最后是要让所有的人都明白，“纪律只有一种，这就是完善的纪律”。

### ◆ 狼的自述

一时的忍耐是为了更广阔的自由，一时的纪律约束是为了更大的成功。

## 纪律是一种伟大的力量

遵守纪律风气的培养，只有领导者本身在这方面以身作则才能收到成效。

——马卡连柯

你也许不相信，在狼群当中，竟然也有“邱少云”式的狼。一个猎人曾经无意中看到了狼群的狩猎场面：在一片荆棘后面，匍匐着大约40多只狼，而在荆棘对面的草甸上，开始有羊群陆续出现。一只狼的脖子显然是受了伤，正往外淌着血。一般情况下，狼受伤了都会发出令人心惊的嗥叫，但是这只狼却一点声音也没有发出来。直到后来羊群完全进入了狼的攻击范围，所有的狼才一起冲了出去——这就是狼的纪律！

纪律是一种伟大的力量，是保证一个集体正常运行的必要法则，法律和道德是约束我们的社会纪律。俗话说"国有国法，家有家规。"说的就是一种有形或者无形的纪律。我们生活的任何一个组织当中，都有其一定的纪律。学校有校规，工厂有厂规，部队有军规。

解放战争中我们的"小米加步枪"为什么能打败装备优良的国民党部队？就是因为我们有"三大纪律八项注意"的纪律规定。就是自然界，也有其特定的"纪律"，日月更替，四季轮回，就是其中的一种。

纪律，是宇宙万物和谐存在的唯一法则，纪律是一种伟大的力量，我们在日常生活当中，也要受各种各样纪律的约束和保护。

孙武是我国历史上著名的军事家，其著作《孙子兵法》被誉为"兵学圣典"，即使在现在，也是国内外各著名军校的教材书籍。

当孙武刚刚踏上军事生涯的时候，诸侯并没有了解到这位军事奇才的能力，他最先来到吴国。吴王阖闾当时正在宫殿上和一群宫女喝酒取乐，并不是很看重眼前的这位年轻人，就说："这样吧，你先用我这里的宫女们向我演练一下兵法吧！"

孙武从后宫中挑出180名宫女，先把她们分为两队，并让吴王的两个宠姬当队长，然后告诉她们如何进退左右。正式演练前又三令五申讲明规则，但是这些平常被娇纵惯了的宫女根本就不当回事，都聚在一起嘻嘻哈哈，命令擂鼓向右，结果这些宫女们大笑不止，乱成一团，吴王也跟着大笑。

孙武正色说："纪律没有讲清楚，大家没有听明白，这是我的责任。"于是又重新说了两遍规定，然后又命令擂鼓向左。结果宫女们仍大笑不止。

孙武说："约束不明，申令不熟，这是为将的责任；法令既明而不执行，这是队长的责任了。"

他下令要斩左右队长，吴王在台上看到要斩他的爱姬，急忙派人制止说："我已知道将军的用兵能力了，但是这两个人是我最宠爱的妃子，如果杀了她们我就连饭也吃不下了，你就别斩她们了。"

孙武说："大王既然任命我来带兵，将在军，君命有所不受。"说完毅然下令斩了两个队长示众,又指定两人为队长,然后重新操练。

这次，宫女们再也不敢嘻嘻哈哈了，一个个前进后退、跪卧起伏，无不整齐规范。很快，这群恃宠撒娇的宫女被练成为一支"虽赴水火犹可"的队伍。

是什么让这群宫女由一群散漫、手无缚鸡之力的弱女变成一支可以作战的军队？是严明的纪律。

下面，我们就根据孙武演兵的这个例子，来分析一下纪律是如何发挥其神奇力量的。

首先，是纪律当中"治众如治寡"的组织原则。为了使人群有效发挥作用，要把他们组织起来。比如我们国家这么大，如果完全靠中央一级政府来管理，不管投入多少人力物力肯定还是忙不过来。所以我们中央下辖省及行政区，再下辖市、县、乡镇、村，这样管理起来就有条理得多。部队、企业中也是如此，越是技术含量高、规模大、涉及人员多的团体，下面的分工也就越细。

一个团体力量的大小很重要的方面取决于其组织纪律效度。一个管理者有效地监督、指挥其直接下属的人数是有限的，每一个主管人员都应根据管理的职责和职权来慎重地确定自己的管理宽度。

在一个团体制定纪律的过程当中，一定要解决好集权与分权的关系，找准相互的对接部位。

随着组织规模的扩大，相应的管理应将职能逐层地推入到最基层。逐渐形成金字塔形的管理模式，从而使结构优化，提高效率。

其次，纪律当中的领导原则。领导者在纪律环节当中起关键作用，为了管好队伍，要设领导以管其事，在纪律环节当中，越是高层的领导，需要担负的责任就越大。在开头的例子当中，当所有人都违反纪律的时候，孙武只杀了身为领导的两个队长，因为她们要为此次的纪律事件负责。

一个企业，中、高层管理干部现场管理水平的高低直接影响着整个企业管理的效率和竞争力，其管理素质直接影响员工的积极性和对企业的忠诚度。

现代的企业管理，作为最高层的领导者也有一个善点将的问题。要选好用好自己的助手，配备好用好各主要职能科室负责人，通过对中层管理者的管理来管理好整个企业。

再次，是纪律当中的制度化原则，也就是我们平常说的条文形式的纪律。一个坚强的队伍必须要有统一的规章制度以协调人员的行动。在这个故事中，孙武向宫女宣布前怎样动作，后怎样动作等，而且还三令五申了的。制度一，法令一，才有军队一。部队是最讲“法令孰行”的，也是最讲“赏罚孰明”的，有铁的纪律才有胜利之师。

现代企业，尤其是大型企业是一个多层次、多结构、多因素的有机集合体，它必须通过系统管理才能获得高效的经营效益。在系统管理的过程中，它既需要用“心”、用“感情”来管理，达到“润物细无声”的境界，更需要“用制度”来管理。

把一切都建立在成员自发、自觉的纪律上，是软弱无力的；把一切寄希望于“人治”，则不可避免这样或那样的随意性、盲目性。

并且随着企业规模的扩大，工作复杂程度的增加，最高管理者即使有三头六臂，纵是千手观音，也无法包揽所有的工作。

只有实现管理制度化，管理者才能从繁杂的事务中解放出来，保证有足够的时间和空间，集中精力研究和思考企业改革和发展等重大问题。也只有实现了管理制度化，才能从根本上保证企业民主管理实施到位，从根本上维护所有成员的权益。管理只有在解决制度问题的前提下，才能不断提升管理的层次和品质。

第四，纪律管理当中的奖罚原则。赏罚严明才能队伍严整。在这个例子里，孙武处置两位宠姬时，就是严加约束的，认为约束不明是将之罪，约束已明而不守法是吏之过，孙武执法如山。

每个企业都有其明文制度，这些制度之所以具有威慑力，能有公信力，其关键就在于对于违反纪律的人，要有一定的惩罚措施和手段，而对于那些自觉遵守、维护纪律的人给予适当的奖励。只有赏罚分明，纪律的主导性和威严性才能真正体现出来。

最后，纪律的连贯性与信息性。信息畅通，队伍才有活力，在这个例子里，孙武通过击鼓等指挥队伍行动。在我们上班的时候，公司规定要按时上班，这是一个笼统的纪律，而规定早上 9 点之前上班，这个具体的时间就把笼统的纪律信息化、具体化了。再比如说，一个工厂里规定：严禁随地吐痰，违者罚款。这种制度只能是流于表面，也对纪律的施行者增加了困难：怎么罚？罚多少？

所以一个单位在制定、实行、传达纪律的时候，千万不可以采用笼统的方式，那样做只能使纪律流于形式。信息在纪律系统当中起到的就是一个形象解释的作用。

纪律的力量是伟大的，但是制定、实行纪律的过程是严格而复杂的，如果一个团体有了严格的纪律，就好像万丈高楼有了坚实的地基，以后的工作就会简单、顺畅很多。

◆ 狼的自述

一个狼群就是一支训练有素、纪律严明的团队，统一行动、绝对服从、协同作战，这就是狼的纪律。

# 立即执行，不把命令拖延到下一秒

当哥伦布发现美洲的时候，他知道他航向何处吗？他的目标只是前进，一直向前进。

——纪德

每一个人都有生老病死，喜怒哀乐，狼也是如此，但是狼从来不把这些当成行动的障碍，狼王一旦发出行动的号令，刚刚受伤在舔舐伤口的老狼，长途跋涉、在河边喝水的饿狼，正在哺育儿女的母狼，都会在第一时间放下正在做的事情，去执行狼王的命令。

一个真正优秀的人，也总是信奉立即执行主义，只有立即行动，一切成功才成为可能，任何事情只要一拖拉，就可能错过最好的时机，就全完了。

每一个人的潜意识里都有一种惰性，这是所有人的天性之一。问题的关键在于我们能不能战胜身体内的这种惰性，这是一个人是否能成为强者的标志之一。偷懒，是非常容易的事情，是每个人都容易做到的事情；而立即行动，则不容易做到，日复一日，保持立即行动的作风更难。

我们每天都有很多事情要做，没有大事也有小事，但是那些懒惰的人总能找到拖拉的理由。“过几天再说吧”“改日再约”如此等等，一天天下来，什么事也就拖黄了。

一个勤劳的人，可以偷闲，那是对身心的一种休息。而一个懒惰的人，则永远没有有意义的时间，而只有无聊。

一旦有什么事情，要立即执行，不要等。立即执行，我们的一天就可以顶好几天用，办事效率高了，才可能腾出悠闲的时间，才可以积累下悠闲的机会。

我们也许看过很多关于卡耐基或者其他著名的成功学家的书，在这些关于怎么成功的著作里面，融合其所有的精髓，只有四个字：马上行动！

我怎么样成为成功学的专家，我为什么能取得别人没有的成绩？原因就在于我失败的次数比你多，我摸索的次数比你多，我尝试的方法比你多，我错误的方法比你多。

我之所以找到一些成功的窍门，就是因为你失败的次数还不够多，所以你没有办法知道成功的秘诀。为什么失败次数不够多，因为你不敢行动，世界上有无数种差劲的情况，最差的状况就是不行动。所以凡事立刻行动，马上行动，现在就去做，千万不要放弃你现在任何一个念头。

一个人失败最严重的问题就是他缺乏行动力，凡事拖延。通常状况下成功者都是马上行动。但是失败者往往想：明天再做，后天再做，我今天好懒，我先睡觉，让我休息一下，我先喝一杯咖啡，我资料还没有整理好。他总是有一些借口来告诉他自己为什么现在不能行动，就这样，成功从你脚边溜走了。

拿破仑说过："行动和速度是制胜的关键。"我国古代也有"兵贵神速"的说法。

三国后期，魏国分兵两路进攻蜀国，钟会率领大军从大路前进，而且步步为营，行动缓慢，加上路上有姜维布置的大量兵力阻挡，行动起来就更加困难。

邓艾忍不住了，对钟会说："兵贵神速，我们这样一直拖着也不是办法，请让我带一路兵马从小路包抄吧！”钟会说：“小路崎岖难走，让我考虑一下。”邓艾着急地说：“不马上行动，恐怕会有意想不到的变化啊。”

最后钟会终于同意了邓艾的建议，邓艾马上带了一队人马从小路赶往成都。为了行动迅速，他们抛弃了所有辎重，甚至没有带回头的粮草。一路飞速赶路，成都就在眼前的时候，却碰到了一道绝壁，这时候，部下都已经疲劳不堪了，有人劝邓艾：“我们不如先休整一下，轮流铺路然后下去。”

邓艾坚决地说：“绝对不可以，我们之所以走这条路，就是为了快速到达目的地，如果不马上行动，一切的努力就都没有意义了。”他下令，每个人都拿着一片麻布把自己包起来，然后滚下山去。邓艾自己第一个滚了下去，就这样，他凭借上千人就攻克了成都，灭亡了百年基业的蜀国，而这个时候，姜维的十几万大军却仍然在剑阁什么也不知道呢。

每一次成功的关键都是在最短的时间内采取最有效率而且大量的行动。如果你拥有成功的良好条件，你下定决心一定要成功，你拥有强烈的进取心，你的顾客服务做得非常的好，则你就很可能成功。但假如你一天只拜访一个顾客，或是一年只有一个顾客到你店里来光顾，则事实上你成功的概率是非常小的。

每一个有所成就的人都了解立即行动的重要性，下决定往往只需要下一次，但是行动一定要很多次。一个人之所以会比你成功，因为他行动的次数比你多。

为什么成功学的道理无数人都明白，但是真正取得成功的人却总只是其中的一部分？问题的关键在于行动，纵然你“胸中自有百万兵”，但是你成天待在家里，一样也一事无成。学习先进经验的目的不在于点头、不在于鼓掌、不在于“心有戚戚焉”，而在于把这种经验转变成为你的行动。

那么，阻碍我们行动的原因到底是什么呢？主要有三个方面的原因：

第一方面是我们思想的注意力不是集中在将要做的事情上。比如每次当你想要拜访顾客的时候，心里不是想着我一定会成功，而是在想我万一被拒绝了怎么办，你的焦点惯性需要改变。

第二方面是你肢体动作的惯性。假如我兴高采烈地告诉你："我会成功！我会成功！"大家一定可以感觉到我的动作一定很兴奋。假如我今天半死不活地讲："我一定会成功，我一定会成功。"我这样的音调就让你感觉到我的肢体动作不好。每一个人即使他头脑想要成功，可是他的肢体动作没有办法配合的话，则事实上他的行动力是不会改变的。

第三方面，每一个人之所以没有办法行动，是因为他受到其语言惯性的影响。他每次说："我很健康，我很健康！"突然想说："哎，今天怎么拉肚子，好难过哦。"他语言的惯性，导致他没有办法全然地激发行动力。

一个年轻人，在踏入推销界之前非常的落魄，在从事推销后他的命运却发生了很大的转机。

他首先参加了一个推销培训班，他的所有收获都源于这次培训学到的东西，后来，他又潜心学习，钻研心理学、公关学、市场学等理论，结合现代观念推销技巧，终于大获成功。

在美国房地产界他3年内赚到了3000多万美元，此后他成功参与了可口可乐、迪士尼、宝洁公司等杰出企业的推销策划。在销售方面，他是全世界单年内销售最多房地产的业务员，平均每天卖一幢房子。后来他的名字被载入了吉尼斯世界纪录，被国际上很多报刊称为国际销售界的传奇冠军。

有人问他："你成功的秘诀是什么？"他回答说："每当我遇

到挫折的时候，我只有一个信念，那就是马上行动，坚持到底。成功者绝不放弃，放弃者绝不会成功！”

他坚信自己是一头狮子，而不是只羔羊；在他的思想中从来没有“放弃”“不可能”“办不到”“行不通”“没希望”等字眼。

坚持就有成功的可能。他知道每一次推销失败，都将会增加下次成功的概率；每一次客户的拒绝，都能离“成交”更近一步；每一次对方皱眉的表情，都是他下次微笑的征兆；每一次的不顺利，都将会为明天的幸运带来希望。

你是否曾经有过很好的点子但没付诸于行动，以致现在忽然想起觉得十分可惜？你是否承诺过什么但一推再推成了永不能兑现的空话？你是否暗恋过一个女孩但没有行动，结果花落他家？……

为什么我没有成功，因为我没有马上行动！每个人都想成功、想赚钱、想人际关系好，可是从不行动；想要有健康、有活力的身体，却从不锻炼；计划定了，目标设了，但从来不去做。

不管什么事情你一旦拖延，你就总是会拖延，但你一旦开始行动，通常就会一直做到底，所以，凡事行动就是成功的一半，第一步是最重要的一步，行动应该从第一秒开始。

让我们从早上睁开眼睛那一刹那开始，就马上行动起来，一直行动下去，对每一件事都要告诉自己立刻去做，你会发现，你整天都充满着行动力的感觉。希望没有马上行动的朋友马上行动起来吧！

### ◆ 狼的自述

命令的下达往往就是出击的最佳时机，我们应该毫不犹豫地执行，一秒的延迟往往造成一生的遗憾。

# 没有任何借口

为错误寻找借口是懦夫的行为。

——拿破仑

狼群的作风和纪律严明的部队十分相似，一旦命令下达，就会马上执行，没有任何借口。甚至可以说，军队的这种作风是向狼学习而来的，历史上很多纪律严明、战斗力强的部队都被冠以“虎狼之师”的称号。

我们生活在这个世界上,最可怕东西的是什么？不是刀山火海，不是艰难困苦，而是拖延，拖延就好像是一把软刀子，让你的雄心壮志变成痴心妄想，让你的辉煌事业变成昨日黄花。拖延就好比魔鬼的诱惑，看起来似乎无害，却把你一步一步拖向罪恶的深渊。而借口是拖延的温床，我们在拖延任何事情之前，总是会为自己找各种各样的借口。

但是人生只有一次，工作中是没有任何借口的，失败是没有任何借口的，人生也没有任何借口。我们应该把“没有任何借口”作为最重要的行为准则。

在生活中碰到任何的事情都要想尽办法去完成，而不是为没有完成的事情去寻找任何借口，哪怕看似合理的借口。其目的是为了让自己学会适应压力，培养自身不达目的不罢休的毅力。

有人说，生活是充满弹性的，偶尔的放纵无可厚非，“没有任何借口”看起来似乎有些绝对、不近人情。但是我们应该明白，作为一个坚强的人，无论遭遇什么样的环境，都必须学会对自己的一切行为负责！平常如果不严加约束自己，紧要关头，我们又去哪里找任何借口？我们拿巩固河堤来说，在平常风和日丽的日子，我们总是说："哪有那么容易发洪水，我们的河堤够坚固了，多大洪水也不怕。""今天维护，明天维护，这不是劳民伤财吗？"等等，找到一大堆的借口来推脱工作上的责任。但是等到洪水来临，甚至冲垮堤坝的时候，我们又有什么借口来逃避责任？

不找任何的借口，长期下来可以养成我们毫不畏惧的决心、坚强的毅力、完美的执行力以及在限定时间内把握每一分每一秒去完成任何一项任务的信心和信念。

但是，在现实生活和工作中，一旦出现一些问题，我们总是找这样那样的借口来为自己推脱，减轻责任，并且把这些借口描绘得天经地义，理所当然。起床晚了借口说闹铃时间太短，上班迟到了借口说路上堵车，约会来迟借口说手表慢了，自己的业绩上不去，借口说公司的制度存在问题。任务没完成有借口，事情做砸了也有借口，借口成了一张敷衍别人、原谅自己的万能"挡箭牌"。如果我们把绞尽脑汁寻找借口、推脱责任的宝贵的时间和精力放在学习和工作上，相信所有的挫折和困难就都烟消云散了！

想要成为一名成功、优秀的人，就应该像军队的士兵一样，他们说立正就立正，向右转就右转，一个命令下去，第一时间就要展开行动。在任何事情上从来就没有借口可言。

企业需要这种直截了当的、没有阻力的传递过程，这是非常重要的一个参数或者指标，是管理效能的一个非常重要的方面。当主管在会议上宣布一项工作或者安排工作的时候，如果你马上就列出一堆理由证明你有多大的困难，这个时候的你必然是不受欢迎的。在很多人的观念中，服从就是"对的就服从，不对的就不服从"。其实这种观点是错误的。服从是无条件的，凡是上级的指令，作为员工第一时间就应该按指令去行动。

总的来说，服从对任何组织来说都是至关重要的。没有服从精神的组织，只能称之为"乌合之众"。作为员工要认真地、不断地检讨自己的行为，磨合自己的服从意识，才有可能远离乌合之众，走向新的开始。

有了找借口的习惯，做起事情来往往就不诚实，这样的人在工作当中必定遭人轻视。经常找借口是推卸责任的表现，这也是找借口唯一的“好处”，也是为什么会有那么多的找借口的人的原因。

找借口，也可把本来应该自己承担的责任转嫁给别人，可以给自己制造一个安全的角落。对这样的人，只要是一个理智的领导者，在企业中决不会用他。千万别找借口，与其费尽心思去寻找借口，还不如用寻找借口的时间把原来的失误弥补过来，因为工作中本来就没有借口，生命中更没有借口——你不是上帝，失败不会因为借口的存在而远离，成功也不会属于那些寻找借口的人！

在企业当中，没有服从就没有一切，我们平常所谓的创造性、主观能动性等都在服从的基础上才成立，否则老板再好的思想也推广不开，也没有丝毫价值。其实，商场就是战场，工作就是战斗。一个企业，要想在商场上立于不败之地，就必须拥有一支高效的、能战斗的团队。任何一个经营者都知道，对那些做事拖延的人，是不可能抱以太高的期望的。

把所有的事情都留待明天处理的态度就是不负责任的拖延，这是一种恶劣的工作习惯。这种人每当要付出劳动时，或要做出抉择时，总会为自己找出一些借口来安慰自己，总想让自己轻松些、舒服些。

奇怪的是，这些经常喊累、经常找借口的人，却往往可以在健身房、酒吧或购物中心流连数个小时而毫无倦意。但是，看看他们上班时的模样！你是否常听他们说：“天啊，真希望明天不用上班。”带着这样的念头从健身房、酒吧、购物中心回来，只会感觉工作压力越来越大。

今天该做的事拖到明天完成，现在该打的电话等到一两个小时后才打，这个月该完成的报表拖到下一月，这个季度该达到的进度要等到下一个季度……这样的员工，肯定是不努力工作的员工；至少，是没有良好工作态度的员工。他们找出种种借口来蒙混公司，来欺骗管理者，他们是不负责任的人，聪明的管理者总是在第一时间让他们下课。

### ◆ 狼的自述

狼捕猎的高效率来源于命令下达后的立即执行，这个世界上没有一只总是找借口的狼，否则它们早就饿死了。